GERMANISCHE BIBLIOTHEK

Dritte Reihe:

UNTERSUCHUNGEN UND EINZELDARSTELLUNGEN

WALTER JOHANNES SCHRÖDER

Die Soltane-Erzählung in Wolframs Parzival

Studien zur Darstellung und Bedeutung der Lebensstufen Parzivals

HEIDELBERG 1963

CARL WINTER · UNIVERSITÄTSVERLAG

 Archiv.-Nr. 3262
Satz und Druck: Buchdruckerei Georg Appl, Wemding-Schwaben

Vorwort

Die Erforschung der mittelalterlichen deutschen Versepik ist zur Zeit in einem Umbruch begriffen. Er zeichnet sich in einer Reihe von Arbeiten ab, die seit Anfang der fünfziger Jahre erschienen sind, und hat inzwischen ein Stadium erreicht, das es den Verfassern von Literaturgeschichten kaum noch erlaubt, davon keine Notiz zu nehmen. Einen Überblick über die wichtigsten der davon betroffenen Fragestellungen hat Max Wehrli in seinem Vortrag: Strukturprobleme des mittelalterlichen Romans auf dem Mainzer Germanistentag im September 1959 gegeben.[1] Es handelt sich dabei weniger um die Bearbeitung bisher vernachlässigter Gebiete, obwohl auch hierin Beträchtliches geleistet wurde (so etwa in der Analyse spätmittelalterlicher Dichtungen), sondern vielmehr um eine Neuorientierung in methodischer Hinsicht, die zu einer Revision der bisherigen Meinungen über die dichterische Struktur auch der bekannten und oft behandelten großen Denkmäler der mittelhochdeutschen Blütezeit führte. Seit längerem kann man immer wieder lesen, daß man auch und gerade in der Wolframforschung gleichsam von vorne wieder anfangen müsse, um aus der Sackgasse, in der sie sich befinde, herauszukommen.

In den Rahmen solcher Arbeiten wollen die vorliegenden Studien über die Erzählung Wolframs von Parzivals Jugend sich gestellt wissen. Sie greifen eine alte Frage, nämlich die nach dem rechten Sinn der Lebensstufen Parzivals vom Kind zum Gralsherrn, wieder auf, und zwar in der Meinung, daß der Schlüssel zu ihrem Verständnis in den Ereignissen liege, die sich in der *waste in Soltane* abspielen. Es gibt bezeichnenderweise keine einzige wirklich eingehende Analyse dieses Teils des Textes; er wird immer nur nebenher behandelt und gewöhnlich mit einigen Bemerkungen abgetan, die die Verlegenheit des Interpreten deutlich verraten. Dabei hätte schon die Tatsache, daß Wolfram in dieser Episode den Text Chrétiens in auffallender Weise verändert hat, den Blick auf die merkwürdige Art dieser Veränderung lenken und zur genauen Beobachtung anregen müssen. Man ging statt dessen immer vom IX. Buch aus, weil dort expressis verbis religiöse Gedanken geäußert werden. Bei der lange Zeit vorherrschenden Tendenz, das eigentliche Problem der Dichtung in der Stellung Wolframs zur Religiosität seiner Zeit zu sehen, mußten sich solche Stellen als Dokumentationen der Meinung des Dichters besonders empfehlen. Inzwischen dürfte sich gezeigt

[1] WW 10, 1960, 334–345.

haben, daß Wolframs religiöse Vorstellungen keineswegs, wie anfänglich vermutet, von den allgemeinen Überzeugungen seiner Zeit und seiner Kreise abweichen; das hat noch neuerdings wieder Friedrich Ohly für den Prolog des Willehalm nachgewiesen.[2] Die Eigenart Wolframs ist vorwiegend dichterischer, nicht religiöser Art. Die gegenwärtige und künftige Wolframforschung wird sich also Problemen zuwenden dürfen und müssen, die die Dichtung als solche aufgibt.

Ungelöste Fragen dieser Art gibt es in Fülle. Es fehlt an grundlegenden Arbeiten über die motivische Fügung der verschiedenen Handlungen des Parzivalromans, über die epische Struktur, über das Verhältnis der drei Hauptteile zueinander, über die Haltung des Erzählers und die Erzählweise überhaupt, über Figuren-, Raum- und Zeitauffassung und manch anderes mehr. Zwar werden diese Gegenstände in der bereits vorliegenden Forschung mannigfach berührt, aber es ist bisher noch kaum ausdrücklich nach ihnen gefragt worden, als ob sich solches Fragen nicht verlohne. Im Grunde liegt es doch wohl daran, daß den meisten Interpreten gar nicht bewußt ist, wie sehr sie die Vorstellungen ihrer eigenen Zeit mit in ihr Urteil hineinnehmen. Die analysierende Reflexion über den Wortlaut des Textes muß aber doch die Voraussetzungen der eigenen Position mit ins Spiel bringen; denn eben dadurch unterscheidet sich ja doch die historische Wissenschaft von anderen. Menschen anderer Zeiten – insbesondere der des Mittelalters – unterscheiden sich von den heutigen ja nicht nur durch andere Ideen, Gewohnheiten und Lebensumstände, sondern, ungleich bedeutsamer, durch einen anderen Begriff von ‚Wirklichkeit', d. h. von den für wirksam gehaltenen Mächten. Durch diese Mächte wird die Art und Weise bestimmt, wie die Welt e r l e b t wird. Raum, Zeit, Natur, Sprache, Denken und Fühlen, Wissen und Glauben, Gesetz und Freiheit, Wollen und Können – all diese Grundtatsachen empirischer menschlicher Existenz werden ungeachtet ihrer überzeitlichen Realität doch zu jeder Zeit in anderer Weise geistig erfaßt und erst dadurch ‚wirklich'. So ist, beispielsweise, das ‚Wort' für den Menschen des Mittelalters von ganz anderer Mächtigkeit als für den neuzeitlichen Menschen. ‚Sprache' ist nicht nur ein System von Zeichen, durch das Meinungen ausgedrückt werden, sondern sie hat eigene Substantialität, sie ‚ist' auch, wenn nicht gesprochen wird. Gerade für den Philologen wird es ein vordringliches Bemühen sein müssen, seine Aufmerksamkeit auf die ‚Wirklichkeit' der Sprache des Denkmals, das er behandelt, zu richten. Das geht über die Berücksichtigung von Wortsinn und Wortbedeutung weit hinaus. Wir werden im Verlauf der Untersuchung immer wieder in die Elementarvorstellungen des Textes sozusagen hineinfragen müssen; daß dies bisher

[2] Wolframs Gebet an den Heiligen Geist im Eingang des Willehalm, ZfdA 91, 1961, 1–37.

kaum geschehen ist, dürfte die Hauptursache für die bekannte Ratlosigkeit der Wolframforschung sein. Jedenfalls glaube ich darin einen Weg zu sehen, der zu fruchtbaren Ergebnissen führt.

Über das methodische Verfahren, das ich im Einzelnen verfolge, habe ich mich jeweils an gehöriger Stelle geäußert. Meine Aufmerksamkeit galt immer jenen Textaussagen, die dem heutigen sogenannten ‚unvoreingenommenen' Verständnis als ‚brüchig' oder ‚dunkel' erscheinen, in der Meinung, daß gerade dort der Schlüssel zu wirklichem Verständnis zu finden sein müsse. Dieses Vorgehen hat notwendigerweise eine gewisse Umständlichkeit und Schwerfälligkeit der Darstellung zur Folge und behelligt den Leser streckenweise mit der Erörterung allbekannter Partien des Textes. Auch habe ich um der Deutlichkeit willen Wiederholungen nicht gescheut. Die komplexe Beziehung, in der viele wichtige Stellen zu anderen stehen, machte es nötig, sie von verschiedenen Aspekten her zu betrachten.

Das Manuskript der Abhandlung war in seinen wesentlichen Teilen schon vor längerer Zeit abgeschlossen. Einige inzwischen erschienene eigene Arbeiten setzen seine Ergebnisse voraus.[3] Einen ersten Ansatz innerhalb einer allgemeinen Übersicht über die Struktur des gesamten Parzivalromans habe ich in meiner Abhandlung „Der dichterische Plan des Parzivalromans"[4] zu geben versucht. Das jetzt verarbeitete Material hat mir damals schon zum großen Teil vorgelegen. Der Grundgedanke ist der gleiche geblieben, doch habe ich aus der seitdem erschienenen Literatur und durch wiederholte Erörterung der Probleme in Seminarübungen und in persönlichen Gesprächen mit Fachkollegen viel gelernt. Zu besonderem Dank bin ich P. Heinrich Bacht, S. J., von der Hochschule St. Georgen für mannigfache Belehrung in theologischen Fragen und Hinweise auf einschlägige Literatur verpflichtet.

Mainz, im Frühjahr 1963

WALTER JOHANNES SCHRÖDER

[3] Zum Bogengleichnis Wolframs, Pz. 241, 1–30. Beitr. 78, Tübingen 1956, 453–457.
Kyot. GRM XL, 1959, 329–350.
Horizontale und vertikale Struktur bei Chrétien und Wolfram, WW 9, 1959, 321–326.

[4] Beitr. 74, Halle/S. 1952, 160–192; 409–453. Auch gesondert erschienen (Halle/S. 1953).

Inhalt

1. Textanalyse

Parz. 109, 1–129, 4

Die Erzählung von Parzivals Kindheit beginnt im II. Buch (112, 5); sie wird unterbrochen durch die sogenannte ‚Selbstverteidigung' 114, 5–116, 4 und endet im III. Buch 129, 4.[1] Gahmuret, Herzeloydes Gatte, hat fern von der Heimat im Dienste des heidnischen *baruc von Baldac* den Tod gefunden. Vierzehn Tage nachdem der Speer und das blutige Hemd des Toten im heimatlichen Münster bestattet worden sind, wird Parzival geboren (112, 5ff.). Er hat so starke Glieder, daß es die Mutter fast das Leben kostet. Sie und ihre Frauen betrachten *zwischen beinn sin visellin* und stellen fest, daß er gewiß viel geliebt werden wird. Für *strit* und *minne* ist er also wohl veranlagt. Die Mutter legt das Kind an die Brust und nährt es selbst. Ihr ist, als hätte sie Gahmuret, ihren Gatten, im Arm. Mit der Freude über das Kind mischt sich die Trauer: *ir ougen regenden uf den knabn* (113, 29). Sie denkt an Maria mit dem Jesuskind: ‚*diu hoehste küneginne Jesus ir brüste bot, der sit durch uns vil scharpfen tot ame kriuze mennischliche enphienc* . . .' (113, 18ff.).

Drei Motive greifen hier ineinander: die ritterliche Art des Knaben, die enge Beziehung zum Vater, die Parallele zur Jesusgeburt. Eine ähnliche Trias durchzieht auch schon den Text, der dem Bericht von der Geburt vorangeht (109, 1–111, 13). Da ist von dem Kind, das noch im Leibe ist, die Rede: *in ir libe stiez*, so daß sie auf den Tod krank war, der Knabe, *der aller ritter bluome wirt* (109, 2; 11). Herzeloyde, von einem *altwisen man* gerettet, klagt über Gahmurets Tod: obwohl sie viel jünger war als er, sei sie doch ‚*sin muoter und sin wip. ich trage alhie doch sinen lip und sines verhes samen*' (109, 25–27). Sie umfängt ihren gesegneten Leib und bittet Gott, er möge ihr das Kind schenken, denn ‚*daz waer Gahmurets ander tot, ob ich mich selben slüege, die wile ich bi mir trüege daz ich von siner minne enphienc*' (110, 18–21). Sie drückt die Milch aus ihrer Brust und spricht sie an: ‚*du bist von triwen komn. het ich des toufes niht genomn, du waerest wol mins toufes zil. ich sol mich begiezen vil mit dir und mit den ougen . . . wande ich wil Gahmureten klagn*' (111, 7–13). Die Milch, die das Kind *vor im her gesant*

[1] Ich zitiere nach der 5. Auflage der Ausgabe Karl Lachmanns. Zur 6., von Eduard Hartl bearbeiteten Auflage vgl. die Besprechung von Werner Wolf im AfdA 67, 1954, 61ff.

hat (111, 1), und die Tränen um den Vater mischen sich und sind dem Taufwasser gleich.

In Herzeloydes Sinn sind also Vater und Sohn in gewisser Weise identisch. Sie ist Mutter und Weib zugleich – stürbe das Kind, so fände Gahmuret einen zweiten Tod. Tod und Geburt sind hier einander eng zugeordnet: ‚*beidiu siufzen und lachen kunde ir munt vil wol gemachen. si vreute sich ir suns geburt: ir schimph ertranc in riwen furt* – so heißt es abschließend und zusammenfassend (114, 1–4).

Daß diese innige Beziehung von Tod und Leben nicht nur eine psychologisch verständliche Gestimmtheit meint, lassen die beiden religiösen Stellen vermuten: der Vergleich von Milch und Tränen mit dem Taufwasser, die Worte Herzeloydes über Maria und Jesus. Denn diese haben doch wohl den Zweck, auf eine besondere Art und Weise der Verknüpfung von Leben und Tod hinzuweisen. Die Textworte 113, 15f.: *si kert sich niht an losheit: diemuot was ir bereit* und der folgende Hinweis auf die Gottesmutter haben mit dem vorangehenden Bild von der Mutter, die beim Säugen ihres Kindes glaubt, den Vater im Arm zu halten, unmittelbar nichts zu tun. Sie beziehen sich darauf nur mittelbar durch das religiöse Gegenbild der Gottesmutter, die den Jesusknaben säugt – den sie dann später tot im Arm halten wird. Zur Deutung der Situation wird also das religiöse Doppelbild (Maria mit dem Kinde und die Pietà) herangeholt. Was es mit Geburt und Tod auf sich hat, ist erkennbar an Geburt und Tod des Heilandes. In analoger Weise werden Milch und Tränen auf *den touf* bezogen. Die Identität von Vater und Sohn, zuerst ganz naturhaft in den Sinn Herzeloydes gelegt, wird also in der religiösen Deutung zur Identität von Jesusknaben und Gekreuzigtem. Was das zu bedeuten hat, geht aus der Stelle selbst nicht hervor, es bleibt dunkel. Wir werden uns damit ausführlich zu beschäftigen haben.

Im III. Buch beginnt der Bericht von Parzivals jugendlichem Dasein. Herzeloyde hat all ihren Reichtum *durch triuwe* dahingegeben, *durch des himeles ruom* ließ sie *der erden richtuom, si vloch der werlde wunne* (116, 19ff.). Sie zieht in einen Wald *zer waste in Soltane*, sie nimmt Ackersleute mit, die für sie *buwn und riuten*, und befiehlt ihnen, dem Knaben Parzival nichts von *riterschaft* zu erzählen (117, 1ff.). So wird dieser also vor aller Welt verborgen erzogen, er wird *an küneclicher fuore betrogn* (118, 2). *Man barg in vor ritterschaft e er koeme an siner witze kraft*, so heißt es vordeutend schon 112, 19f. Doch regt sich in ihm die ritterliche Art des Vaters: er verfertigt sich *bogen unde bölzelin* und geht auf die Jagd (118, 4ff.).

Die *waste* ist keine ‚Wüste' im heutigen Sinne des Wortes; das beweisen die Waldlandschaft, die *buliute*, die *vogele*, von denen danach (118, 6ff.) die Rede ist. Das Wort meint hier einen Ort, an dem es keine ‚Welt' gibt, kein Rittertum. Herzeloyde geht ‚aus der Welt', sie lebt ohne Hofhaltung, ohne

Festesglanz, ohne Minnetreiben und Turnier. Soltane ist also ein Ort ohne eigentliches Leben, ein Ort außerhalb des Daseins, das durch Streit und Kampf gefährdet ist. Herzeloyde handelt wie schon vordem (110, 14–22) als die fürsorgliche Mutter, die ihren Einzigen nicht verlieren will. Aber dieser Motivation gesellt sich eine andere zu. Der Text des III. Buches bis 117, 6 setzt mit einer allgemeinen Rede von den Frauen ein, unterscheidet die weltfreudigen von den frommen und zählt dann Herzeloyde zu den letzteren. Die religiöse Motivation des II. Buches findet hier also ihre Fortsetzung. Herzeloyde flieht die Welt um ihrer ewigen Seligkeit willen, sie geht in die Einsamkeit wie eine Eremitin. Dazu kommt als drittes die Trauer um Gahmuret, der *jamer* (117, 11), der ihr alle Lust am höfischen Leben genommen hat. Als Witwe wählt Herzeloyde (wie später Sigune) das Leben einer Nonne; als Mutter eines Knaben, der des Vaters *art* hat (118, 3–6), entführt sie diesen in die Einsamkeit. Herzeloyde ist wieder *muoter* und *wip*, ihr Verhalten wird religiös beleuchtet. Doch kein Wort verrät, was das alles zu bedeuten hat.

Es folgt die Episode von der Tötung der Singvögel im Walde (118, 7ff.). Parzival lauscht verzückt ihrem Gesang – aber dennoch tötete er sie mit seinem Pfeil. Als sie tot vor ihm liegen, weint er. Seiner Mutter, die ihn nach der Ursache seines Kummers fragt, weiß er nichts zu antworten. Zum ersten Mal ist hier von Parzival selbst die Rede, und sogleich zeichnet ihn der Dichter als einen Menschen im Zwiespalt. Aber das geschieht nur ein einziges Mal. Als die Mutter, bekümmert darüber, daß die Vögel ihren Sohn betrüben, ihre *buliute* anweist, diese zu töten, da erhebt er Einspruch: ‚*waz wizet man den vogelin?*‘ *er gert in frides sa zestunt* (119, 10f.). Wieder folgt eine religiöse Stelle (119, 13–30): Herzeloyde bekennt, daß sie gegen Gottes Gebot gehandelt habe, als sie die Vögel töten ließ. Zum ersten Male hört Parzival den Namen Gottes, er hat von ihm bisher nichts gewußt. Und sogleich fragt er danach: ‚*owe, muoter, waz ist got?*‘ Darauf erhält er die erste Lehre seines Lebens (über die Jagd hat ihn niemand zu belehren brauchen): Gott ist lichter als der Tag, er hat menschliches Antlitz, in der Not soll man ihn um Hilfe bitten; dagegen ist der Teufel finster, vor ihm und dem Zweifel soll man sich hüten. Parzival stellt keine weiteren Fragen. Der Dichter erzählt, daß er lernt, mit dem *gabilot* Hirsche zu erjagen, und daß er diese, kräftig und herangewachsen, unzerlegt nach Hause trägt – eine beachtenswerte Leistung (120, 1ff.).

An dieser Erzählung muß mehreres auffallen. Die Geschichte von der Tötung der Vögel ist offenbar mit der Belehrung über Gott verbunden. Aber warum muß Parzival über Gott belehrt werden, da er doch mit *bogen* und *bölzelin* von Natur her Bescheid weiß? Er müßte, so sollte man annehmen, von Natur her auch von Gott wissen. Sodann: was hat die Tötung der Vögel mit Gott zu tun? Und schließlich: warum beginnt Parzival seine

Frage nach Gott mit einem *owe*? Die Situation ist doch folgende: Parzivals Wunsch, die Mutter möge die Vögel am Leben lassen, und der Mutter Hinweis auf Gottes Gebot decken sich völlig. Gott will, so sagt die Mutter, daß die Vögel am Leben bleiben, Parzival will das auch. Es muß also offen bleiben, weshalb der Knabe seine Frage mit einem Klagelaut einleitet. Weiter: an der Belehrung der Mutter über Gott ist zweierlei unverständlich: 1. ihre Antwort ist doch keineswegs eine Belehrung, die Klarheit über die vorangegangenen Vorgänge gäbe. Man sollte erwarten, daß von Gott als dem Schöpfer und Erhalter die Rede wäre, von dem *gebot*, gegen das sich Herzeloyde vergangen hat, wie sie selber sagt. Statt dessen folgt eine Beschreibung vom Wesen Gottes, die darauf gar keinen Bezug nimmt. 2. Die Gotteslehre steht, da sie Gott als den darstellt, zu dem man in der Not flehen solle, im effektiven Widerspruch zu der Situation in Soltane; denn nur außerhalb von Soltane gibt es jene Not, vor der Herzeloyde den Sohn in der *waste* bewahrt. Außerdem zeichnet sie ein Bild Gottes, das, wie sich bald zeigt, zum Anlaß dafür wird, daß der Knabe Soltane verläßt. Parzival braucht Gott gar nicht, solange er in Soltane ist – das Schicksal Gahmurets bedroht ihn hier nicht. Deutlich genug geht daraus hervor: die Belehrung, die gar nicht wirklich auf Parzivals Frage eingeht, rechnet bereits mit einem späteren Leben in der Ritterwelt, ja sie weist den Knaben schon auf dieses Leben hin und weckt seinen Trieb, Soltane zu verlassen. In der Tat hält Parzival den Gottesbegriff, den ihm die Mutter hier vermittelt, unverändert bis zur Begegnung mit Trevrizent fest.[2]

Damit kommt in das Bild der Mutter, die bisher immer die fürsorglich Bewahrende war, ein neuer, widersprechender Zug. Parzival soll nichts von der Welt wissen – aber nun erfährt er einen Rat (nämlich Gott in der Not anzurufen), der nur für ein Leben in der Welt nötig ist. Wenn Soltane der Ort ist, in dem es keinen Tod gibt, dann bedarf darin auch niemand der Hilfe Gottes. Wir müssen diesen Widerspruch festhalten und nicht sogleich meinen, der Dichter setze selbstverständlich voraus, daß es einen solchen Ort auf Erden nicht gebe, daß die Absicht der Mutter also ganz sinnlos sei und ähnliches mehr. Die religiöse Intention des Ganzen gebietet, die Textaussage ganz wörtlich zu nehmen. Es wird sich zeigen, daß jener Widerspruch im Wesen der Mutter an anderer Stelle noch weit schärfer und eindeutiger hervortritt.

Es folgt die Begegnung mit den Rittern (120, 11–125, 16). Parzival hält drei Ritter, dann auch einen vierten, der diesen folgt, für Götter, da sie dem Bilde, das die Mutter von Gott zeichnete, entsprechen. Er tut als gehorsamer Sohn, was ihm geboten wurde: er kniet nieder und ruft sie um Hilfe an

[2] Darüber unten S. 31ff.

(121, 1f.; 122, 25f.). Im Gespräch erfährt er, daß sie nicht Götter sondern Ritter sind und daß König Artus Ritterschaft gibt (123, 3–11). Damit ist nun geschehen, was Herzeloyde verhindern wollte: der Knabe hat vom Rittertum erfahren, und sogleich will er hinaus in die Welt, um zu Artus zu gelangen (126, 9–14). Er fordert ein Pferd (126, 20). Die Mutter macht noch einen Versuch, ihn zurückzuhalten: sie erdenkt sich eine List, gibt ihm ein störrisches Pferd und zieht ihm Torenkleider an, damit die Leute ihn verspotten, raufen und schlagen (126, 22–127, 9). So wird er zurückkehren, hofft sie. Sie bittet ihn, noch über Nacht zu bleiben, und gibt ihm Lehren mit, die ihm das Fortkommen erleichtern sollen: dunkle Furten soll er meiden, sich sittsam benehmen, alle Leute freundlich grüßen, von einem weisen Mann Lehren annehmen, die Frauen lieben mit Kuß und Umarmung, schließlich dem Lähelin, der seine Länder Waleis und Norgals geraubt hat, das Erbe seiner Väter wieder entreißen. Parzival verspricht, den Tod des Fürsten Turkentals zu rächen.

Das ist freilich ein seltsames Verhalten der Mutter. Ihr Handeln und ihre Lehre stehen in krassem Widerspruch zu einander. Was sie tut, hat den Zweck, den Sohn an der Welt scheitern zu lassen; das steht mit dürren Worten im Text. Gleich darauf aber lehrt sie ihn Weltweisheit, sie gibt ihm Ratschläge, wie er gut vorankomme und stachelt ihn sogar zum Rachekampf an, der ihn doch in Lebensgefahr bringen muß. Der ganze Komplex der Trauer um den Gatten, des Eremitendaseins, der Sorge darum, mit dem Sohn den Gatten ein zweites Mal zu verlieren, scheint vergessen. Und wir bemerken jetzt, daß sich die Gotteslehre zu der Weltlehre Herzeloydes stellt. Die handelnde und die belehrende Mutter stehen in vollem Gegensatz zu einander, Gotteslehre und Weltlehre weisen hinaus auf das Dasein außerhalb Soltanes und sind gleichsam das Programm, nach dem der spätere Weg Parzivals verläuft. Es bleibt vorerst völlig dunkel, wie wir diesen Widerspruch zu verstehen haben.

Am andern Morgen reitet Parzival in die Welt: *im was gein Artuse gach* (128, 15). Die Mutter läuft ihm nach, und als sie ihn nicht mehr sieht, fällt sie tot zur Erde. Der Abschied hat ihr das Herz gebrochen. Parzival hat nichts davon bemerkt. Der Abschnitt schließt mit dem Ausruf: *owol si daz se ie muoter wart!* (128, 25). Ein verwunderlicher Satz! Der Hörer, vom schmerzlichen Ende Herzeloydes bewegt, erwartet ein *owe* – ist doch gerade die Mutterschaft die Ursache ihres Todes. Und dem Sohn, der der Mutter dies antat (im IX. Buch wird man ihm Muttermord als schwere Sünde vorwerfen), sollen alle Frauen *heiles wünschen* auf seiner Fahrt. – So schließt also die Erzählung mit Widersprüchen, für die der Text nicht die geringste Erklärung hat.

Ich habe die bekannte Geschichte hier so eingehend besprochen, weil es an mehreren Stellen auf die genaue Textaussage ankommt, auf die später immer wieder zurückgegriffen werden wird. Ich fasse das Ergebnis zusammen: Der Kern der Jugenderzählung läßt sich als ein ganz plausibler Bericht von der Geburt und dem Heranwachsen eines vaterlosen Knaben aus königlicher Familie verstehen. Die Mutter, durch den plötzlichen Tod des Gatten verstört, zieht mit dem Knaben in eine menschenleere Gegend und versucht, ihn vor dem Schicksal des Vaters zu bewahren, indem sie ihn unritterlich aufwachsen läßt. Aber die ererbte Anlage treibt ihn hinaus, als er eines Tages Ritter erblickt und durch sie von König Artus erfährt. Er verläßt Soltane, um Ritter zu werden, die Mutter kann ihn nicht zurückhalten. Sie stirbt beim Abschied vor Schmerz.

Dieser Geschichte sind nun aber Aussagen eingefügt, die ihrem Verständnis teils nicht förderlich, teils geradezu hinderlich sind:

1. die Belehrungen der Mutter über Gott und die Welt widersprechen strikte ihrer Absicht, den Knaben im Unwissen zu lassen, um ihn fest zu halten;
2. die religiösen Stellen rücken das Geschehen in Parallele zu Christi Geburt und Tod.
3. Die Schlußverse 128, 25–129, 4 stehen im Widerspruch zur Handlung.

Das Ergebnis dieser ersten Übersicht ist also: wenn man Wolframs Text einfach beim Wort nimmt und sich aller Versuche, ihm ohne besondere Untersuchung irgendeinen sinnvoll erscheinenden Zusammenhang zu geben, enthält, dann erscheint er ungereimt und widerspruchsvoll. Die Interpreten haben, um mit ihm zurechtzukommen, sich gewöhnlich an das vordergründige Bild, vor allem an die Gestalt der Herzeloyde, gehalten, die ja doch gewiß in allem, was sie tut, von bester Gesinnung sei. Der objektive Widerspruch ihrer Handlungsweise wurde, soweit man ihn überhaupt bemerkte, als ein Zustand der Verwirrung nach dem Tode des Gatten aufgefaßt oder auch als „Menschenverstehen und -begreifen übersteigende Mutterliebe“.[3] „Was die Mutter wollte, war unnatürlich“.[4] Deutlich wird das Bestreben, es mit dem Verhalten der Mutter nicht so genau zu nehmen; es komme doch schließlich nicht auf den Rat der Mutter, sondern auf die Verhaltensweise Parzivals an.

Aber gerade dies müßte erst bewiesen werden. Wolfram selber nimmt, wie gleich unten gezeigt werden soll, seinen Text sehr genau, bis ins einzelne Wort hinein; enthält die mütterliche Lehre doch ein exaktes Programm alles dessen, was Parzival später tut. Das ‚wörtliche‘ Befolgen der mütterlichen Ratschläge hat seine besondere und äußerst wichtige Bedeutung. Außerdem: Wolfram weicht in allem, was die Lehre der Mutter betrifft, ganz beträcht-

[3] JULIUS SCHWIETERING, Die dt. Dichtung d. Ma., Neudruck 1957, 165.
[4] FRIEDRICH MAURER, Leid, 131.

lich von Chrétien ab, und zwar verfährt er hier durchaus anders als sonst: er erweitert den Text nicht etwa, sondern kürzt ihn. Das ist auffallend. Parzival ‚lernt' von der Mutter viel weniger als Perceval; er erfährt nur kurze, knappe Regeln für sein Verhalten. Hinzugesetzt aber hat Wolfram die Szene mit der Torenkleidung und dem schlechten Pferd – bei Chrétien ist Perceval einfach bäuerlich gekleidet, wie es der Waldeinsamkeit entspricht. Das heißt: der Gegensatz von Lehre und Handeln ist erst von Wolfram in die Erzählung hineingebracht worden![5] Wolfram hat also den ganzen Zusammenhang der Geschichte bewußt geändert. Diese Umgestaltung ist viel bedeutsamer als die Ausweitung des einmaligen Spazierrittes bei Chrétien zu einem ganzen Lebensabschnitt, die ‚Milderung' des Charakters des Knaben und was man sonst noch alles angeführt hat. Bei Chrétien ist der Ablauf des Geschehens völlig plausibel: Perceval erfährt über Gott, den christlichen Glauben, christlichen Lebenswandel, das Verhalten gegenüber den Frauen usw. ausführliche und ins Einzelne gehende Belehrung. Er scheitert später, weil er sich böswillig und wider besseres Wissen nicht nach dieser Lehre richtet. Parzival aber erfährt sehr wenig, befolgt jedoch alles, was er weiß, ganz genau – und dieser ‚Gehorsam' führt ihn in Schuld! Wir müssen uns also, wollen wir verstehen, was Wolfram eigentlich meint, vom Textzusammenhang bei Chrétien lösen. Wolfram hat offenbar etwas ganz anderes gewollt als Chrétien.

Wie bedeutsam es ist, die motivische Fügung der Soltaneerzählung aufzuhellen, wird einsichtig, wenn man bedenkt, daß ja doch die Frage nach Parzivals Schuld unmittelbar davon abhängig ist. Welcher Art Parzivals Verfehlungen sind, läßt sich nur ausmachen, wenn zuvor klargestellt worden ist, was der mütterliche Rat für ihn bedeutet. Bei Chrétien ist diese Frage verhältnismäßig einfach zu lösen: Perceval war ungehorsam, aufsässig, er mißachtete die Lehre. Parzival aber ist gehorsam, und selbst seine einzige Tat gegen den Willen der Mutter hat ihre positive Seite: der Ausritt aus Soltane ist Beginn eines Weges, der letztlich aller Ritterschaft zum Heile wird (129, 2f.). Von einem solchen Heilsweg ist bei Chrétien nicht die Rede. Die ganze Problematik der Schuldfrage, die trotz zahlreicher Lösungsversuche noch

[5] Auch der englische Sir Perceval of Galles, der mit Wolfram einige Züge, die bei Chrétien nicht vorliegen, gemein hat, kennt nur die bäuerliche Kleidung, vgl. Carsten Strucks, Der junge Parzival, Diss. Münster 1910, 41f. – Strucks möchte den Widerspruch zwischen der Torenkleidung und dem Rachegebot, der auch ihm aufgefallen ist, dadurch aufheben, daß er die Torenkleider für einen „sekundären Zug" erklärt (46); aber damit ist gar nichts ‚erklärt'. Natürlich ist es möglich, daß Wolfram seine Version von irgendwoher übernommen hat, womöglich aus einer Quelle, die auch die Lehren der Mutter (nicht nur das Rachegebot an Lähelin) in entsprechender Form enthielt. Aber das kann dahingestellt bleiben. Für uns ist wichtig, daß Wolfram Chrétiens Text bewußt und folgenschwer änderte.

immer wieder neu aufgerührt wird,[6] leidet darunter, daß die Vorfrage, welcher Art das Verhältnis von Lehre zu ihrer Befolgung durch Parzival eigentlich sei, mit der Meinung, das ‚wörtliche' Verstehen sei ein schuldhaftes Mißverstehen, nicht zureichend und daher irreführend beantwortet worden ist. Wir müssen diese Vorfrage also neu stellen. Das führt zu der weitergehenden Aufgabe, das Verhältnis der ganzen Soltaneepisode zu der Erzählung von Parzivals späterem Lebensweg zutreffend, d. h. der Textmeinung gemäß zu bestimmen. Bei Chrétien ist Perceval der Jüngling, der sich aus der Hut der Mutter frei macht und nun ohne ihre Leitung und im trotzigen Widerspruch zu ihren Mahnungen sein eigenes Leben führt. Parzival aber ist nach dem Ausritt ein neues Wesen, ein Anderer, er ist in eine andere Wirklichkeit getreten. Es ist zu fragen, welche Wirklichkeit das ist und wie sie sich zur Wirklichkeit von Soltane verhält.

[6] Dazu u. S. 94ff.

2. Herzeloydes Welt- und Gotteslehre

a) Die ‚Weltlehre'

127, 13ff.:

‚dune solt niht hinnen keren,
ich wil dich list e leren.
an ungebanten strazen
soltu tunkel fürte lazen:
die sihte und luter sin
da solte al balde riten in.
du solt dich site nieten,
der werlde grüezen bieten.
Op dich ein gra wise man
zuht wil lern als er wol kan,
dem soltu gerne volgen,
und wis im niht erbolgen.
sun, la dir bevolhen sin,
swa du guotes wibes vingerlin
mügest erwerben unt ir gruoz,
daz nim: es tuot dir kumbers buoz.
du solt zir kusse gahen
und ir lip vast umbevahen:
daz git gelücke und hohen muot
op si kiusche ist unde guot.
du solt och wissen, sun min,
der stolze küene Lähelin
dinen fürsten ab ervaht zwei lant,
diu solten dienen diner hant,
Waleis und Norgals.
ein din fürste Turkentals
den tot von siner hende enphienc:
din volc er sluoc unde vienc'.
‚daz rich ich, muoter, ruocht es got:
in verwundet noch min gabilot.'

Die Lehre, die hier gegeben wird, ist bloße Regel, sie wird also als gültig für alle unter sie fallenden Gelegenheiten gegeben. Parzival erhält keine Anweisung, die das einzelne Gebot einschränken, modifizieren, unter einen höheren, allgemeinen Gesichtspunkt stellen könnte. Es fehlt der Lehre jeder Bezug auf die realen Umstände des Lebens und jeder Hinweis auf allgemeine

Prinzipien des Wohlverhaltens. Das war bei Chrétien anders. Da erteilte die Mutter beispielsweise über das Verhalten gegenüber den Frauen eine ausführliche, die möglichen Umstände berücksichtigende Anweisung, die es dem Sohne ermöglicht hätte, ein vorbildlicher Minneritter zu sein – wenn er sie nur beachtet hätte. Auch bringt Perceval aus seinem Leben bei der Mutter bereits Erfahrungen mit, die die Lehre voraussetzen kann. So bemerkt er etwa, daß die Küsse der Dame im Zelt nicht so ‚bitter' schmecken wie die der Kammerfrauen zu Hause.[1] Herzeloydes Rat aber rechnet – gegen alle reale Situation – mit einem Knaben, der noch nicht das geringste vom Leben weiß. Daß man dunkle Wässer meiden muß, weil sie tief sind, brauchte man einem Jüngling, der mit Bogen und Bolzen vorzüglich umzugehen gelernt hat und der so stark ist, daß er das Wild unzerlegt nach Hause tragen kann, wahrlich nicht zu raten. Parzivals späteres Verhalten beweist aber, daß der Text voraussetzt, er wisse vom Leben eben nichts anderes, als was die Mutter ihm gesagt hat. – Betrachten wir alle diese Ratschläge auf ihren Gesamtgehalt hin, so wird deutlich, daß ihre Formulierung auf die mechanische Befolgung hin, die dann später erzählt wird, abgezielt ist. Parzivals Tun wird von der Vorstellung bestimmt, wo immer eine Furt dunkel sei, solle er sie meiden, wo immer er eine Frau erblicke, solle er sie lieben, wo immer er Leuten begegne, solle er sie grüßen, wo immer ein alter Mann ihm Ratschläge gebe, solle er sie befolgen, wo immer er einen fremden Ritter treffe, solle er ihn – als Lähelin – erschlagen und schließlich: was immer er von Gott erbitte, das werde dieser ihm geben. Es kann nicht zweifelhaft sein, daß Wolfram gerade diese wörtliche Übereinstimmung von mütterlichem Rat und Vorstellungsweise des Knaben gewollt hat – ganz und gar gegen seine Vorlage. Das Gleiche gilt auch von dem, was die Ritter, die Parzival in Soltane trifft, vom Artusrittertum berichten. Parzival hört, was man ihm sagt, und setzt es dann nach dem Ausritt in die Tat um. Fragen wir, was die Auskünfte der Mutter und der Ritter eigentlich bedeuten, welchen Sinn der Dichter ihnen beilegt, so müssen wir von der Art und Weise der Verwirklichung der Ratschläge durch Parzival ausgehen.

Einen ganzen Tag reitet er an einem Bach entlang, weil Blumen und Gras das Wasser dunkel erscheinen lassen (129, 7ff.): er ist vorsichtig gegenüber dem Unbekannten. Als er in einem Zelt eine schlafende, halbnackte Frau erblickt, nähert er sich ihr ungestüm, küßt sie gewaltsam, nimmt ihr *ungevuoge* einen Ring und eine Spange, küßt sie zum Schluß noch einmal und reitet *an urloup* davon. Zwischendurch verspürt er Hunger und ißt, ohne darum zu bitten, einen *guoten kropf* und trinkt *swaere trünke* (129, 27ff.). Das ist ganz das Verhalten eines Naturburschen, der seinem Ge-

[1] Christian von Troyes, Der Percevalroman, hrsg. v. A. Hilka, 1932, V. 723–728.

schlechtstrieb und seinem Hunger keinerlei Zügel anlegt. Triebhaft ist auch alles, was er danach tut; *im was vil gach* – immer hat er es eilig, immer treibt es ihn voran. Das Wort *gach* kennzeichnet an vielen Stellen den Drang des Knaben, die Gebote, die er auf den Weg mitbekommen hat, zu erfüllen. Er grüßt alle Leute, die ihm begegnen, er denkt sogleich an Rache, als er durch Sigune vom Tode Schionatulanders hört, er tötet Ither, den ersten Ritter, der ihm begegnet und der für ihn Lähelin ist, und am Artushofe drängt er: ‚*der wile dunket mich ein jar . . . nune sumet mich niht mere, phlegt min nach ritters ere* (149, 12ff.). Dem Rate des Gurnemanz folgt er sofort (162, 29ff.). Und immer wieder beruft er sich auf das Wort der Mutter.

Damit hat er geleistet, was ihm geboten wurde. Das Gebot hat ihm die Aufgaben gestellt, und er hat sie erfüllt. Er ist dadurch keineswegs ein Artusritter geworden, er hat die von Lähelin geraubten Länder nicht wieder erobert, er hat keinen Minnedienst ausgeübt. Aber er hat bewiesen, daß er zu alledem die Anlagen hat. Er hat eine Natur, dem ritterliche Tüchtigkeit eignet, und diese Natur hat er von der Mutter. Denn diese war es ja, die ihm sagte, was er tun solle.

Herzeloydes Rat an den Sohn ist also bloßer Antrieb zum Tun, weiter nichts. Sie hat ihm nicht gesagt, wie er kämpfen und minnen soll, sondern nur, daß er es soll. Ihr Rat ist ganz und gar nicht Tugendlehre, nicht Anweisung zum Wohlverhalten. Das Gebot, Rache an den Feinden zu nehmen, kommt in keiner Tugendlehre vor (es fehlt auch in Chrétiens Text).[2] Sich an seinen Feinden zu rächen, die Leute zu grüßen, auf alten Mannes Rat zu hören, die Frauen zu lieben – das alles liegt einem ritterlich geborenen, sogar aus königlichem Geschlecht stammenden jungen Mann im Blut. Das ist allgemeine Vorstellung der höfischen Dichtung, die den niedrig Geborenen, den *vilan*, eben wegen des Mangels an solchen Eigenschaften verachtet.[3]

Das Ergebnis dieser kurzen Analyse ist zunächst: die oben gestellte Frage nach dem Sinn der Belehrung Parzivals durch die Mutter muß damit beantwortet werden, daß hier ‚Lehre‘ nicht so etwas wie guter Ratschlag ist, und daß die Befolgung der ‚Lehre‘ nicht ‚Gehorsam‘ ist. Was Herzeloyde ‚lehrt‘ und Parzival ‚lernt‘, kann im eigentlichen Sinne nicht gelehrt und gelernt werden. Wirklich Lernbares erfährt Parzival erst durch Gurnemanz – ausdrücklich steht im Text, daß er Zucht erst durch Gurnemanz lerne (170, 15), und er wird 171, 15 *rates dürftic* genannt. Alles, was Parzival vor dieser Belehrung, dem Rate der Mutter folgend, getan hat, wird dort

[2] Strucks a. a. O. meint, daß das Rachemotiv das ursprüngliche sei und daß Wolfram ebenso wie der englische Sir Perceval auf eine vor Chrétien liegende und von diesem nicht benutzte Quelle zurückgehe (69).

[3] Man vergleiche, was Wolfram 142, 15ff. über den habgierigen Fischer sagt!

wilder muot genannt, der erst durch des Alten Belehrung *zam* werden wird (170, 8).

Die Mutter lehrt also den Sohn seine ritterlichen Triebe! Mit dieser Vorstellung, zu der der Text uns zwingt, ist nun ein Moment ins Spiel gebracht worden, das das eigentliche Problem der Interpretation ausmacht. Es wird uns während der ganzen Untersuchung immer wieder beschäftigen. Wir haben es offenbar mit einer Art von ‚Wirklichkeit' zu tun, die nicht einfach die Lebenswirklichkeit ist, auch nicht die idealisierte Welt des höfischen Romans. Ein unmittelbares Verständnis der erzählten Vorgänge führt notwendigerweise zur Fehlinterpretation und hat daher all jene Versuche der Forschung, die angeblichen Lücken des Textes zu füllen und dadurch eine sinnvolle Handlung zu konstruieren, zur Folge. Wir müssen uns ganz an den Text halten und uns zunächst damit abfinden, daß alles, was er aussagt, zwar in der wörtlichen Aussage stimmig ist – eine wichtige Erkenntnis! –, daß der eigentliche Sinn aber rätselhaft bleibt. Es wird die Aufgabe der folgenden Kapitel sein, dieses Rätsel zu lösen.

Zuvor aber sei noch auf einen Textbefund hingewiesen, der auf den ersten Blick unserer Meinung, Herzeloydes Weltlehre sei nicht Tugendlehre und Parzivals untugendhaftes Handeln daher völlig mit dem Sinn der Lehre übereinstimmend, zu widersprechen scheint. Es finden sich nämlich sowohl im Text der Lehre als auch an anderen gleichsinnigen Stellen durchaus Tugendbegriffe. Herzeloyde gebraucht die Ausdrücke *site* 127, 19; *zuht* 22; *guotes wibes* 26; *hohen muot, kiusche, guot* 128, 1f. Sigune sagt ausdrücklich zu Parzival: ‚*du hast tugent*' 139, 25. – Besprechen wir zuerst die letzte Stelle, da sie am besten Aufschluß gibt. Der Zusammenhang zeigt nämlich deutlich, daß *tugent* hier nicht Erziehungsbegriff, sondern Anlagewert ist:

> ‚. . . . . du hast tugent.
> geret si din süeziu jugent
> und din antlitze minneclich.
> . . . . .
> du bist geborn von triuwen . . .'

Parzival hat alle guten Eigenschaften ritterlicher *art* mitbekommen. Das wird auch an vielen anderen Stellen, die ich hier nicht zu zitieren brauche, ausgesagt. Aber er weiß sie noch gar nicht in tugendhafter Weise zu betätigen – das lernt er erst bei Gurnemanz, und auf dessen Lehre weist Herzeloyde 127, 22 ja auch ausdrücklich hin. Das Wort *zuht,* das sie gebraucht, wird erst in der Zukunft realisiert werden, aber den guten Willen, solche Zuchtlehre anzunehmen, gibt Herzeloyde dem Sohn mit. Ganz genau so muß *site* verstanden werden; Parzival hat, so heißt es 164, 29ff., gar keine *site,* aber er hat die Anlage dazu. Die übrigen zitierten Stellen beziehen sich nicht auf ihn und brauchen daher hier nicht besprochen zu werden.

Nochmals sei daran erinnert, wie fremd dies alles der Konzeption Chrétiens ist. Die Lehre der *veve dame* ist wirkliche Tugendlehre und umfaßt alle Gebiete ritterlich-höfischen Verhaltens in ausführlicher Darlegung. Der Text ist durchaus vordergründig schlüssig und verständlich. Das Mißverhältnis zwischen Mutter und Sohn nach dem Ausritt beruht darauf, daß der Sohn die Mahnungen und Lehren, die sie ihm mitgab, mißachtet. Gerade dieser Befund hat die Wolframforschung immer dazu veranlaßt, auch zwischen Herzeloyde und Parzival ein Mißverhältnis dieser Art vorauszusetzen, und so ist man denn zu der auch heute noch kaum widersprochenen Vorstellung gelangt, Parzivals Schuld liege im ‚wörtlichen' Befolgen der Lehre, das im Grunde ein Nichtbefolgen sei, da die Mutter es anders gemeint habe. Das Unangemessene solcher Interpretation liegt eben darin, daß Wolframs Text gelesen wird, als ob er eine bloße Variante seiner Vorlage sei: aus der Mißachtung bei Chrétien werde das Mißverständnis bei Wolfram, aus dem böswilligen Knaben der *tumbe*. Aber der wahre Unterschied liegt viel tiefer: er ist ein Unterschied der dargestellten Wirklichkeit. In der Wirklichkeit, die Wolfram meint, gibt es die Kategorien, mit denen Chrétiens Text verstanden werden will, nicht; man kann z. B. nicht von einer ‚eigentlichen Meinung' der Mutter sprechen, und so ist auch ein Mißverständnis durch den Sohn nicht möglich. Parzival beruft sich ganz zu Recht auf die Lehre der Mutter: er befolgt sie so, wie sie gegeben wurde, und so kann es auch kein Mißverhältnis zwischen der Lehre und ihrer Befolgung geben. Ganz im Gegenteil. Daß diese Befolgung ins Unheil führt, hat Ursachen, die an ganz anderer Stelle liegen. Die Gestalten Wolframs sind nicht reale Personen, ihr Handeln mit- und gegeneinander darf daher auch nicht beurteilt werden, als seien sie es.

Wir halten abschließend fest:

Der Inhalt der Weltlehre Herzeloydes sagt Eigenschaften aus, die ritterlicher *art* naturhaft eigen sind; Parzival verwirklicht sie nach dem Ausritt, d. h. er folgt seiner Natur. Nichts anderes bestimmt ihn. Er erweist sich damit als ein hochveranlagter Knabe – und diese Veranlagung hat er von der Mutter.[4] Damit sind die notwendigen Voraussetzungen für die spätere Tugendlehre, die Gurnemanz erteilt, gegeben. Bis zu der Begegnung mit ihm gibt es nichts, was irgend ein anderes Moment in den Gang der Handlung hineinbrächte.

[4] Dabei handelt es sich selbstverständlich nur um solche Anlagen, die später zum Problem werden; Körperkraft, Wohlgestalt, ein empfängliches Gemüt *(art und gelust* 118, 28) werden vorausgesetzt und, wie der Text öfter sagt, auf Gahmuret zurückgeführt. – Es ist, wie wir später sehen werden, entscheidend bedeutsam, daß das Lebensproblem in der Mutter seinen Ursprung hat, nicht im Vater! Vgl. u. S. 58ff.

b) Die Gotteslehre

119, 19ff.:

> ‚er ist noch liehter denne der tac
> der antlitzes sich bewac
> nach menschen antlitze.
> sun, merke eine witze,
> und flehe in umbe dine not:
> sin triwe der werlde ie helfe bot.
> so heizet einr der helle wirt:
> der ist swarz, untriuwe in niht verbirt.
> von dem ker dine gedanke,
> und och von zwivels wanke'.
> sin muoter underschiet im gar
> daz vinster unt daz lieht gevar.

Diese Gotteslehre unterscheidet sich von der, die die *veve dame* bei Chrétien ihrem Sohne Perceval gibt, beträchtlich. Perceval erhält wirklich eine ausführliche und erschöpfende christliche Glaubenslehre: *Maintenant vers terre se lance Et dit trestote sa creance Et oreisons que il savoit, Que sa mere apris li avoit* (Hilka 155ff., auch 137ff.). Perceval sagt das ganze Glaubensbekenntnis her, dazu noch Gebete, und alles hat ihn die Mutter gelehrt. Wir finden also hier den gleichen Unterschied zum Text Chrétiens wie bei der Weltlehre. Denn die Lehre Herzeloydes ist doch äußerst karg. Es fehlt ihr alles, was der Christ über Messebesuch und Gottesdienst wissen muß; das lehrt erst Gurnemanz (169, 17ff.). Über die christliche Heilslehre gibt erst Trevrizent im IX. Buche Auskunft. Zur Weltlehre stimmt auch, daß Parzival bis zum IX. Buche hin immer nur die Worte der Mutter wiederholt (s. u.).

Nach der Lehre Herzeloydes hat Gott folgende Eigenschaften: er ist strahlend schön, er hat menschliche Gestalt, er hat die Macht zu helfen, und er hilft immer, wenn man ihn darum bittet. Ihm steht der Teufel mit entgegengesetzten Eigenschaften gegenüber: ist Gott hell, so ist er finster, ist Gott hilfsbereit, so übt er *untriuwe*. Die beiden letzten Zeilen fassen zusammen: sie verweisen damit auf die ersten Verse des Eingangs mit dem Bilde von der gefleckten Elster.

Dieser Interpretation hat Ludwig Wolff mit gewichtigen Argumenten widersprochen.[5] Er übersetzt die beiden Schlußverse so: ‚die Mutter gab ihm darüber vollständig Unterweisung', d. h. er versteht sie nicht als Zusammenfassung des Vorgesagten, sondern als Hinweis auf noch weitere, im Text

[5] Beitr. 77 (Tübingen 1955), 257ff.

nicht mehr mitgeteilte Unterweisung. Wolfram wolle sagen: die Mutter lehrte ihn den ganzen christlichen Glauben. 2. Der weitere Einwand Wolffs betrifft die Verse 119, 20–21. Er übersetzt nicht einfach: ‚Gott hat menschliches Antlitz', sondern legt den Akzent auf das eine Aktion Gottes ausdrückende *sih bewac;* in der Wendung: *der antlitzes sih bewac nach menschen antlitze* sei „doch alles enthalten: daß Gott um des Menschen willen Unerhörtes getan hat" (257). Parzival habe also eine vollständige christliche Gottes- und Glaubenslehre erfahren, nur begnüge der Text sich mit einer kurzen und nur andeutenden Wiedergabe. – Dem steht entgegen, daß Parzival späterhin immer nur genau das weiß, was er – laut Text – von der Mutter gehört hat. Wäre Wolffs Meinung richtig, so müßten wir doch jenes immer wieder beredete ‚wörtliche', d. h. mißverstandene Ausdeuten der mütterlichen Lehre auch in Bezug auf solche Teile ihrer Lehre vorfinden, die der Text abkürzend verschwiegen haben soll. Das ist aber gar nicht der Fall. Wie bei der Weltlehre so wird auch bei der Gotteslehre in allem, was Parzival tut oder denkt, immer nur Bezug genommen auf etwas, das ausdrücklich im Text steht.

Es ist leicht begreiflich, weshalb man immer wieder versucht hat – vgl. schon Martins Kommentar zur Stelle –, hinter den kargen Worten Herzeloydes eine vollständige, wenn auch einfache, christliche Glaubenslehre zu vermuten. Bei Chrétien liegt eine solche vor; vor allem aber wäre es ohne eine solche Unterweisung nicht möglich, Parzivals Schuld im ‚wörtlichen' Befolgen der Lehre zu sehen. Schließlich scheint es nicht vorstellbar, daß im hohen Mittelalter ein Knabe ohne Glaubenslehre (und ohne Taufe!) aufwächst, noch dazu in einer so ausgesprochen religiösen Atmosphäre, wie sie in Soltane herrscht. – Aber es erscheint mir sehr fraglich, ob man den Text so ergänzen darf, wie es Chrétiens Perceval und auch der Jüngere Titurel nahelegen,[6] unter anderem auch deswegen, weil ja doch an anderen Stellen des Textes diese Ergänzungen ausdrücklich – und zwar als neuerliche und ergänzende Lehre – gegeben werden: Gurnemanz lehrt über die kirchlichen Pflichten (169, 15ff.), Trevrizent im IX. Buch über das christliche Heilsgeschehen.

Nehmen wir die Gotteslehre so, wie sie im Text steht, so ergibt sich im Ganzen, daß sie dem christlichen Gottesbegriff gewiß nicht widerspricht, aber sie enthält auch nichts spezifisch Christliches. Vor allem fehlt ihr das Wichtigste: der Begriff der Trinität. Ohne die ‚drei Namen' ist, wie die Belege w. u. bezeugen, keine Gotteslehre möglich. De Boor meint, Herzeloydes Lehre bewege sich „ganz in ... den einfachsten Formen der damaligen

[6] In Albrechts von Scharfenberg J. T. wird Parzifal sechs Wochen nach seiner Geburt getauft (Werner Wolf, 1108ff.).

Laienreligiosität"; doch schränkt er ein: „Es fehlen wesentlichste christliche Begriffe: Sünde, Reue, Erbarmen, Liebe, Erlösung. Unerfaßt bleibt für solches Denken der unendliche Abstand zwischen Mensch und Gott, die völlige Aufgegebenheit des Menschen in Gottes Willen, Führung und Gnade".[7] Aber ist denn Laienreligiosität ohne diese Begriffe überhaupt denkbar? Auch der einfachste Satz über den christlichen Gott muß doch etwas enthalten, wodurch er sich als christlich ausweist. Die Glaubenslehre war im Symbolum gegeben, und daran schließen denn natürlich auch die volkstümlichen Formulierungen an. Schon vor der Einführung des Symbolums enthielt die confessio fidei die Fragen nach der Trinität: Credis in patrem Deum omnipotentem? ... Credis in Christum filium Dei? ... Credis in sanctum Spiritum? (vgl. Ehrismann, Lit-Gesch. 1, 295). Im zweiten, auf die professio fidei folgenden Stück: post fidei adnunciationem der Benediktbeurer III. Fassung von Glaube und Beichte heißt es:[8]

Mit disem globen schvlt ir leben, da mit sult ir sterben; swer der ist, ez si wib oder man, der ze sinen iarn chvmt, chan er des heiligen globen niht vnde wil in dvrch sine lihtegerne niht lernen, wirt der also fvnden, der ist verlorn ... Der sich versvmit habe ennenher dvrch sine tracheit, daz er sin niut glernet habe, der lerne in, unde ein ieglich wirt in sinem huse lere in s i n i u c h i n t vnde sine vndertan ...

Auch die Kinder also müssen schon von der Trinität erfahren, wenn sie den rechten Glauben haben sollen. Eine Predigt des 13. Jh. rechnet unter den *rechten gelouben*:

daz der vater und der sun und der heilige geist ein war got ist und solt gelouben an di drivaldicheit und solst zur buzze sten dem heiligen ewangelio.[9]

In seiner langen Abhandlung über die Trinität und die mancherlei sonstigen Namen Gottes sagt das Anegenge 5, 72ff.:

> ez ist niht durft daz er baz genennet si
> Ir ist genuc an disen drin (den drei Namen Gottes)
> i r n m o c h t o u c h n i c h t m i n n e r s i n
> w a n s o g e b r a s t d e s v o l l e n d a.

Die ‚drei Namen' sind also das mindeste, das man wissen muß. – In der Kaiserchronik heißt es 8654ff.:

[7] Lit.-Gesch. 2, 4. Aufl., 109. – Auch P. Wapnewski, Wolframs Parzival. Studien zur Religiosität u. Form, 1955, 57, spricht im Anschluß an Mergell, W. v. E. u. s. franz. Quellen 2, 30, von „volkstümlicher Schlichtheit" des Gottesbegriffs.

[8] Speculum ecclesiae, hrsg. v. Mellbourn, 1944, 1, 20ff. Vgl. dazu die Exhortatio ad plebem christianum und ihre ahd. Übersetzung (W. Braune, Ahd. Lesebuch), worin es heißt: „Quomodo enim se christianum dicit qui p a u c a v e r b a f i d e i, qua salvandus est, etiam et orationis dominicae, ... neque discere neque vult in memoria retinere?" Zum Glauben wird hier also auch noch das Vaterunser gerechnet.

[9] Schönbach, Adt. Predigten 1, 3, 30ff. – Inhaltlich das Gleiche ebenda 2, 115, 20ff.

er haizet vater und haizet sun und der hailige gaist
durch unser brode nam er bain und flaisc.
die dri namen deist ain warer got;
swer daz niene geloubot,
ainen got mit den drin namen,
der ist iemer mit dem tievel in der helle begraben.

10918ff.:

wir gelouben an den vater und an den sun
und an den heiligen spiritum sanctum,
daz daz ain wariu gothait ist . . .

In fast gleicher Formulierung auch 11039ff.

10377ff.:

er toufte si (Elena)
in nomine patris et filii et spiritus sancti
. . .
Du minnete diu chunigin here
alle goteliche lere,
wol behielt si die dri namen.

Hildegard von Bingen, Sci vias: „Deshalb vergesse der Mensch niemals, Mich, den einen Gott, in diesen drei Personen anzurufen“.[10]
Eine Christenlehre, die ausdrücklich für Laien gedacht ist, enthält Wittenwilers ‚Ring‘ (Wiesner) 3939ff.:

Dar umb so lerne dir allain
Des ein laig nicht schol embern!
Daz sag ich dir von hertzen gern
Und heb so an dem besten an:
Wiss, daz ieder christan man
Über alles, daz du waist
Oder wänst in deinem gaist,
Schol ze glauben sein werait,
Daz die gewär trivaltichait
Hat vil aigenleich und schon
In einem wesen drei person.[11]

Wolfram selbst gibt in der Taufbelehrung des Feirefiz 817, 11–24 ein Beispiel einer volkstümlichen Glaubenslehre. Diese enthält 1. Absage an den *tiuvel* (12), 2. Glauben an den *hohsten got,* 3. Darstellung Gottes als des trinitarischen (14–22), 4. Hinweis auf den Schöpfer (23f.). Von den 14 Versen sind allein 9 der Trinität gewidmet, die dreimal ausdrücklich bezeichnet

[10] Hild. v. Bingen, Sci vias, Übers. v. MAURA BÖCKELER, 2. Aufl., 1954, 155.
[11] Vgl. dazu WIESSNERS Kommentar 150f.

wird: *drivalt* (14), *drier volleiste* (20), *Trinitate* (22). Die Belehrung ist kaum länger als die Gotteslehre Herzeloydes; sie dürfte wohl als eine typische Laienlehre gelten, da sie ganz nach dem Schema der alten Taufgelöbnisse gebaut ist.

Für eine Gotteslehre, die mit Rücksicht auf das Fassungsvermögen von Kindern den Begriff der Trinität nicht enthält, habe ich in der mhd. Literatur kein Beispiel gefunden. Eine solche Verkürzung käme objektiv einer Verfälschung gleich – denn ohne die drei Namen ist kein Glaube christlich. Nach der Meinung mittelalterlicher Theologie bringt der Mensch von Natur her einen Begriff von Gott mit, der gerade wegen seiner Unvollständigkeit falsch ist und daher der Korrektur durch eine Erweiterung bedarf. Von dem einen Gott, der die Welt schuf, der mächtig zu helfen ist, von der Unterscheidung zwischen gut und böse wissen, so glaubte man, auch schon die Heiden. Sie kannten sowohl den Teufel als auch die Hölle, sie wußten, daß alle Menschen von Adam abstammen. So lesen wir es in Wolframs Willehalm: die Heiden glauben an *Adam* (Wh. 219, 10ff.), sie wissen von der Hölle, (Wh. 219, 13ff.), Gott ist für sie der Allmächtige – Terramer tadelt an der Trinität (so bezeichnet W. den christlichen Gott!), daß sie Jesus nicht half (Wh. 219, 7ff.). Der gleiche Gedanke findet sich im Speculum ecclesiae (Mellbourn) 100, 9f.: *die heidene dunchet ez ein grozziv tumpheit, da uon daz got nimmer ersterben mac.* Die Heidengötter sind von glänzender Erscheinung, sie können ihre Gestalt verwandeln. In der Kaiserchronik heißt es 4060ff. von dem Zauberer Symon, daß er *verwandelte sin pilede unt lie daz den kunic sehen ... daz liut begunde im allez jehen, daz si nie gesaehen neheinen got so maeren, der in so wol geviele.* In Reinbots Hl. Georg ist Apollo der strahlende Gott der Sonne (2984ff.):

> diu sunne in hoehsten werde stat
> mit schoen, mit schin envollen:
> dar umb soll man Apollen
> ouch ze dem hoehsten eren,
> an sine helfe keren.

Wenn es also in der Lehre Herzeloydes heißt, Gott sei *liehter denne der tac,* so trifft eine solche Charakteristik auch auf die Heidengötter zu.[12] Das

[12] Die Wendung begegnet übrigens formelhaft so oft bei Wolfram, daß man gar keine besonderen Folgerungen daraus ziehen kann. Vgl. etwa Pz. 186, 4ff.: als P. sich auf Pelrapeire den *ram* vom Gesicht gewaschen hat, *do het er der sunnen verkrenket nach ir liehten glast* ‚er überstrahlte die Sonne'. Ähnlich 186, 19f., 228, 5, 235, 16f., 243, 11. Der Vers 119, 19 ist also keineswegs eine Übersetzung von Deus est lux, wie WAPNEWSKI, Wolframs Parzival 57 meint; das gilt wohl für 466, 3 – aber da ist auch wirklich und deutlich vom christlichen Gott die Rede.

sich bewac 119, 20 findet seine Entsprechung in der Fähigkeit des Gottes, sich zu ‚verwandeln', fremde Gestalt anzunehmen. Alles, was die Mutter über Gott aussagt, stimmt also völlig zu den Vorstellungen, die man sich über den Gottesbegriff der Ungetauften machte. Diese Vorstellungen haben natürlich wenig genug mit der wirklichen Religiosität heidnischer Völker der damaligen Zeit zu tun. Sie sind vielmehr abgeleitet aus der biblischen Erzählung vom Ursprung der Menschen, von der Schöpfung, dem Paradies, der Vertreibung aus dem Paradiese, und ziehen das historisch und durch die Kreuzzüge Bekannte mehr oder weniger nur als Belegmaterial heran. Für Thomas von Aquin[13] haben die Heiden „Gott als den alles Überragenden und als die Ursache alles Guten, als den Ewigen und Allmächtigen sowie als den Schöpfer aller Dinge erfaßt ... Ihrer Abhängigkeit von Gott waren sie sich vollkommen bewußt. Sie glaubten an die Macht und Hilfsbereitschaft Gottes. Darum wurde allezeit und überall das Gebet geübt" (109). „Allgemein ist den Heiden der Glaube an eine sittliche Weltordnung. Sie wissen den Unterschied von ‚gut' und ‚bös'. Der höchste Grad menschlichen Adels, der darin besteht, sich selber Gesetzgeber und Führer zur Erkenntnis des Guten zu sein, eignet auch ihnen" (127). Aber die Gotteserkenntnis der Heiden ist nur eine Teilwahrheit und daher Irrtum: „Wohl verbleibt der Gottesgedanke den Menschen, aber er verliert an Reinheit. Gott wird vermenschlicht. Der Gottesgedanke verliert mit dem Schöpfungsgedanken an Lebendigkeit. Überragt der Gottesbegriff schon so menschliche Vorstellungskraft, so muß er erst recht sündigen und sinnlichen Menschen schwer verständlich sein. Die unvollkommene Gotteserkenntnis wird in der Tat zu einer irrigen. Man behält die Erhabenheit Gottes nicht mehr im Auge. Die Heiden vergessen, daß er alle Wesen überragt, daß er unbegrenzt und allein anbetungswürdig ... Die Heiden folgen jetzt ihren eigenen willkürlichen Meinungen (aestimationes)" (116). Als „unerträglicher Irrtum" erscheint Thomas die Tatsache, daß die Heiden den „Erklärungsgrund der Welt in der Welt selbst" fanden, nicht in Gott. „Nur wenige nahmen ein transzendentes Prinzip als Weltgrund an" (119). Auch die Erkenntnis sittlicher Pflichten war mangelhaft: „Als der Sünde unterworfen, erkannten die Heiden nur im Allgemeinen, daß die Sünde nicht zu tun sei" (129). Das anthropomorphe, unvollkommene, willkürliche Verständnis Gottes seitens der Heiden führt zur Idolatrie. Für Thomas haben die von den Heiden göttlich verehrten Geschöpfe folgende Kennzeichen: „Es sind vorzüglich solche, die durch ihr Wesen oder ihre Macht, ihre Tugend oder Tüchtigkeit, ihre Seligkeit oder Schönheit als außergewöhnlich, übermenschlich

[13] Die folgenden Zitate aus THOMAS OHM O. S. B., Die Stellung der Heiden zu Natur und Übernatur nach dem Hl. Thomas von Aquin, Münster 1927. Sperrung von mir.

und mächtig erscheinen, und solche, von denen sich der Mensch abhängig glaubt oder von denen er Hilfe zu bekommen vermeint“ (164).

Dieser Satz gibt genau wieder, was Herzeloyde dem Knaben von Gott erzählt. Die Gottesvorstellung, die sie vermittelt, ist also nicht die christliche, sondern diejenige, die man sich damals von dem ‚natürlichen‘ Gottesglauben der Ungetauften machte. Jeder Mensch bringt diese Gottesvorstellung von Natur her mit auf die Welt. Damit bestätigt sich unser erster Eindruck: die Gotteslehre stellt sich ganz zur Weltlehre. Beide Lehren sagen aus, was der Mensch von Natur her mitbringt.

Die von Ludwig Wolff für seine Interpretation zum Anlaß genommenen Textworte *sich bewac* und die beiden Schlußzeilen müssen daher, so scheint mir, in der gleichen Weise bewertet werden wie jene Tugendvokabeln *site, guot, kiusche* usw. der Weltlehre: sie zielen hin auf die spätere Gotteslehre des IX. Buches. Herzeloydes Gotteslehre ist in dem gleichen Sinne ‚richtig‘, wie ihre Weltlehre ‚gut‘ ist: als gute Anlage, Anlage zum Guten. Der heidnische Gottesbegriff ist schon auf den christlichen hin angelegt; er bedarf aber der Ergänzung. Diese Ergänzung ist also im Text nicht schon gleich mitgedacht, sondern wird später gegeben werden. Es ist nur auf sie hingewiesen. Das ist etwas völlig anderes. Wir werden später sehen, daß solch ‚hinweisliches‘ Gestalten die Grundstruktur der ganzen Parzivalerzählung Wolframs ausmacht. Wie die Weltlehre Herzeloydes nicht Tugendlehre ist, wohl aber auf eine Tugendlehre hin angelegt ist, so ist die Gotteslehre auch nicht christliche Glaubenslehre, aber doch auf diese hinweisend. Herzeloyde sagt nicht, was Gott ist, sondern sie sagt, daß Gott ist.[14] Die kurzen Angaben, die sie über Gott macht, stehen in Parallele zu den ebenso kurzen Bemerkungen in der Weltlehre über die Frauen, über Lähelin. Zu den im Menschen angelegten Trieben gehört auch die Annahme eines höheren Wesens, das in der Not hilft, und so liegt das Gewicht der Lehre hier wie bei der Weltlehre auch bei der Anweisung zu praktischem Tun. Parzival befolgt den mütterlichen Rat ganz genau so mechanisch wie bei der Weltlehre. Er hält die Ritter, die er in Soltane trifft, für Gott, weil sie so aussehen, wie die Mutter Gott beschrieb. Und nachdem er Soltane verlassen hat, ist Gott für ihn bis zu neuer Belehrung immer nur das, was er von der Mutter weiß. Lehre und Leben stehen auch hier in engstem Zusammenhang.

Dem ‚vorchristlichen‘ Gottesbegriff Parzivals entspricht eine ebenso ‚vorchristliche‘ Teufelsvorstellung. Zweimal wird Parzival vor dem Teufel gewarnt: *der helle wirt* 119, 25, *der tiuvel* 120, 18 nach der Lehre der Mutter,

[14] Dem steht nicht entgegen, daß die Textstelle in ihrem Wortlaut die Frage: *waz ist got*? hat. P. weiß noch gar nicht, daß es Gott gibt. So fragt er: ‚was ist das: Gott?‘, nachdem die Mutter das Wort *got* erwähnt hat.

tiufel 169, 20 in der Lehre des Gurnemanz. Das Wort findet sich außerdem noch zweimal im IX. Buch: 452, 28 und 454, 4, dort aber ohne unmittelbaren Zusammenhang mit Parzival. Trevrizent spricht nie vom *tiuvel,* sondern nur von *Lucifer* (463, 4; 463, 15; 471, 17)! Der Warnung vor dem *tiuvel* ist Parzival immer gehorsam, er folgt dem Teufel nie. Die *helle* kennt auch der Heide Terramer: ihm ist *von den goten kunt,* daß die Hölle *sur unde heiz* ist (Wh. 219, 13ff.). Wenn Trevrizent im IX. Buch Parzival der superbia (*hochvart* 472, 13) beschuldigt, so kann er damit nicht meinen, Parzival sei dem *tiuvel,* vor dem ihn schon die Mutter warnte, gefolgt. Der Text unterscheidet also zwei Teufelsvorstellungen: eine ‚vorchristliche' und eine christliche; das entspricht der Unterscheidung der Gottesvorstellungen. Dem Wesen nach besteht dieser Unterschied darin, daß der *tiuvel, der helle wirt,* von dem die Mutter spricht, den Menschen zu verleiten sucht, Gottes Geboten nicht zu folgen, an Gott nicht zu glauben, ihn zu leugnen. Ein solcher Mensch wäre *der unstaete geselle* des Prologs, der *hat die swarzen varve gar* – die Farbe der *helle.* Parzival aber glaubt an Gott und folgt ihm, solange Gott ihm hilft – auch nach der Absage verfällt er nicht dem *tiuvel,* sondern zürnt Gott ob seiner vermeintlichen Untreue. Die Existenz Gottes ist ihm immer gewiß. Aber diesen ‚Gott' nennt Trevrizent *Lucifer!* Parzivals *sünde* ist nicht der Unglaube, sondern superbia. Luzifer ist der ‚Gott' der Ehr- und Standessüchtigen. In Arnold Immensens ‚Sündenfall' heißt es 464ff.:[15]

> Weme vat si umme ere, umme stat,
> de stige hoger, dat is min rat.
> Tredet my na, ik ga vor her,
> wente ik hete Luzifer.
> Bi my sint gy alle behert,
> de states unde grote ere begert.

So ist auch für Parzival ‚Gott' der, der ihm zum Rittertum helfen soll (472, 8ff.). Luzifer ist glänzend und verführerisch schön, weil er zu einem glänzenden Dasein führt, ganz den Heidengöttern gleich. Sie alle werden *durch nit* nach der Hölle fahren (463, 14). Nicht der finstere Höllenwirt wird dem ritterlich geborenen, wohlveranlagten Knaben gefährlich, sondern der strahlende ‚Fürst dieser Welt', von dem die Mutter erzählte. Luzifer entspricht dem Satan, der Jesus in der Wüste zu verführen versuchte, indem er ihm die Herrschaft über die Welt versprach.[16]

Nötig ist nun aber noch der Nachweis, daß Parzival die Gottesvorstellung der mütterlichen Lehre unverändert bis zu der neuen, d. h. jetzt christ-

[15] Hrsg. v. Otto Schönemann, 1885.
[16] Darüber Albert Frank-Duquèsne in: Satan. Ètudes carmelitaines, 1948, 251ff.

lichen Gotteslehre Trevrizents im IX. Buch festhält. Die Forschung, auch noch die der letzten Jahre, beherrscht von der allein plausibel erscheinenden Vorstellung einer allmählich wachsenden Gotteserkenntnis Parzivals, pflegt den Text in solchem Sinne auszulegen. Daß man damit ein unangemessenes Moment in ihn hineinträgt, läßt sich nur durch eine sorgsame (und daher leider recht umständliche) Analyse aller Stellen beweisen, an denen von Parzivals Gottesbegriff unmittelbar und mittelbar die Rede ist.

Vor dem IX. Buche sind die Stellen nicht sehr zahlreich, viele sind von geringem Gewicht. Gott wird in formelhafter Wendung, meist im Gruß genannt: ‚*got hüete din: alsus riet mir diu muoter min*' 132, 23f.; ‚*got halde iuch*' 138, 27; ebenso 147, 19; ‚wolt et got ...' 149, 11; ‚*got lon dir*' 156, 15; ‚*got hüet din ... der mag uns bede wol bewarn*' 159, 3f.; ‚*got müeze lonen iu und ir*' 169, 13; bei der Begegnung mit dem Fischerkönig: *daz er im riete durch got* 225, 15; ‚*got lone iu ...*' 329, 16. Für unsere Frage geben diese Belege wenig her. Gewichtiger sind andere Stellen: beim nächtlichen Besuch der Conduiramurs, die vor Parzivals Bett kniet: ‚*ir soldet knien alsus für got*' 193, 24; beim Ritter Gurnemanz: *do gienc der helt mit witzen krank da man got und dem wirte sanc* 169, 15; Gurnemanz lehrt den Knaben *zer messe ..., opfern unde segnen sich und gein dem tiufel kern gerich;* auf Pelrapeire schaut Parzival Conduiramurs an, als der Kaplan *sang gote und siner frouwen ... unz daz benediz geschach* 196, 15ff. Hier ist also davon die Rede, daß Parzival den Gottesdienst besucht. Was er von Gott hält, zeigen erst die folgenden Belege: als der Kämmerer der Gralsburg dem Gast den Mantel des Repanse umlegt und dabei bemerkt: ‚*wande ir sit ein werden man ...*', da antwortet Parzival: ‚*got lon iu, herre, daz irs jeht. ob ir mich ze rehte speht, so min lip gelücke erholt: diu gotes kraft git sölhen solt*' 228, 19ff. Gottes Kraft hat ihm geholfen. Als Jeschute um Parzivals Leben besorgt ist, da Orilus heraneilt, entgegnet er ihr: ‚*frouwe, wer naem uns ez lebn? daz hat uns gotes kraft gegebn: ob des gerte ein ganzes her, man saehe mich für uns zur wer*' 259, 15ff. Wieder beruft er sich auf Gottes Hilfe. Jeschute sagt zu ihm: *doch müez iu freude unt ere got immer geben mere denn ir um mich gedienet hat*' 258, 7ff. Parzival versichert dem Orilus, daß Jeschute schuldlos sei; er schwört bei *schildes ambet* und fährt fort (269, 15ff.):

‚dirre worte si mit werken pfand
min gelücke vor der hoehsten hant:
ich hanz dafür, die treit got.
nu müeze ich flüsteclichen spot
ze beden liben immer han
von siner kraft, ob missetan
disiu frouwe habe, do diz geschah
daz i'r fürspan von ir brach ...'

Er setzt sein Glück zum Pfand für die Wahrheit – sein Glück, daß er Gottes Kraft und Hilfe verdankt. – Als er die Blutstropfen im Schnee sicht und durch sie an Conduiramurs erinnert wird (282, 30ff.):

> ‚mich wil got saelden richen
> sit ich dir hie gelichez vant.
> geret si diu gotes hant
> und all diu creatiure sin‘.

Gott hat sein Liebesglück vermehrt. Unter *creatiure* sind doch wohl der Falke und die Gänse zu verstehen, durch die die Blutstropfen in den Schnee kamen; Gott hat das so gefügt. Dazu gehört noch 289, 12: *saelden pflichtaer dem half got,* denn Gott hat geholfen, den Streit gegen Segramors zu bestehen, obwohl Parzival durch die Erinnerung an Conduiramurs *unversunnen,* ‚geistesabwesend‘, war (288, 9.).

Damit sind zunächst alle Stellen vom Austritt bis zur Absage an Gott (332, 1ff.) verzeichnet. Das Ergebnis ist: für Parzival ist Gott derjenige, dessen *kraft* glückliches Gelingen in Kampf und Minne gibt. Man dient ihm durch Messe und Opfer, man betet zu ihm, und dafür lohnt er durch *gelücke* und *saelde.* Er gibt alles, dessen man bedarf. Das entspricht völlig der Lehre der Mutter, ein neuer Gedanke ist nicht hinzugekommen. Gurnemanz erweitert lediglich das Wissen um die Formen, in denen das Gebet um Hilfe getan werden soll, von Gott selbst ist keine Rede. Auch am Gral und bei Sigune wird von Gott oder irgendwelchen Dingen des christlichen Glaubens nicht gesprochen. Wenn es 255, 18 einmal beiläufig heißt, daß an Anfortas Gott *wunder hat getan,* so bleibt diese Aussage ganz im Allgemeinen. In der Schmährede der Kundrie sind die Verse 316, 7. *‚gein der helle ir sit benant ze himele vor der höhsten hant‘* und 316, 24; *‚ir sit der hellehirten spil‘* die einzigen, die religiöse Gedanken ausdrücken; aber von der *helle* wußte Parzival schon von der Mutter. Die Vorwürfe der Kundrie gehen nicht auf religiöses, sondern auf ritterliches Versagen: Parzival sei *manlicher eren schiech und an der werdekeit so siech* (316, 13f.).

Was Parzival von Gott hält, geht also über das von der Mutter Gelernte nicht hinaus. Wenn er zu Jeschute sagt: Gott hat uns das Leben gegeben, so ist das nicht spezifisch christlich. In der Kaiserchronik lautet Neros Glaubensbekenntnis gegenüber dem Zauberer Symon genau so (4181f.):

> ich han mir erwelt ainen got
> der git lip unde tot,

und eine Stelle wie diese (119ff.):

> waer in der got genaedich,
> si wurden sigesaelich,

und waeren ane zwivel
daz in an dem libe
in dirre werlte iemen schadete
die wile si des gotes hulde habeten,

stellt sich völlig sinngleich zu den oben zitierten Versen 259, 15ff. Formelhafte Nennung Gottes findet sich auch bei den Heiden.[17]
Das charakteristische Beiwort für die Heiden in der Dichtung des 12. Jh. ist *wilde;*[18] auch Parzivals Sinn wird 170, 8 *wilder muot* genannt. Die Stelle 158, 7ff. (s. o.) könnte zu der Meinung Anlaß geben, unter dem Gott, der ‚die höchste Hand trägt', könne nur der christliche Gott verstanden werden. Die gleiche Formel begegnet 454, 7 in solcher Bedeutung. Aber schon Herzeloyde sagt *der hoehste got* (119, 14), und unter den Heidengöttern pflegt eine Rangordnung zu bestehen; häufig wird, so auch in der oben S. 28 zitierten Stelle aus Reinbots von Durne Hl. Georg, der höchste unter ihnen angerufen. Die Aussage kann, wie alle anderen, zwar den christlichen Gott meinen, wird aber ebenso für Heidengötter gebraucht.

Wolfram meidet, das zeigt die Durchsicht des Textes, in bezug auf Parzival und alles, was mit ihm zu tun hat – so auch hinsichtlich des Grals – jede Präzisierung der religiösen Gedanken. Von Gott wird nur nebenher gesprochen und immer ganz im Sinne der Belehrung durch die Mutter. Parzival betet Gott an und erfreut sich seiner Hilfe bei allen Gelegenheiten. Erst von dem Augenblicke an, als diese Hilfe einmal nicht mehr gewährt wird, tritt der Gottesgedanke in den Vordergrund. Aber inhaltlich bleibt er auch dann der gleiche.

Nach der Verfluchung durch Kundrie verläßt Parzival den Artushof, um den Gral zu suchen (329, 25ff.):

‚ine wil deheiner freude jehn,
ine müeze alrerst den gral gesehn,
diu wile si kurz oder lanc'

An dieser Absicht hält er unverbrüchlich fest. Das Motiv, das ihn treibt, ist Mitleid mit Anfortas (330, 28ff.):

‚der wirt hat siufzebaeren twal.
ay helfeloser Anfortas,
waz half dich daz ich pi dir was?'

Artus und Cunneware nehmen bewegten Abschied von ihm, und Gawan sagt zum Schluß (331, 27ff.):

[17] Denecke, Ritterdichter und Heidengötter, 49.
[18] Ebenda 57.

> ‚da geb dir got gelücke zuo,
> und helfe ouch mir daz ich getuo
> dir noch den dienst als ich kan gern.‘

Darauf Parzival:

> ‚Der Waleis sprach: ‚we waz ist got?
> waer der gewaldec, sölhen spot
> het er uns peden niht gegebn,
> kunde got mit kreften lebn.
> ich was im diens undertan,
> sit ich genaden mich versan.
> nu wil i'm dienst widersagn:
> hat er haz, den wil ich tragn ...‘

Wir sehen also: Parzival ist mit seinen Gedanken ganz beim Gral. Er läßt keinen Augenblick davon ab – ‚wie lange es auch dauern möge‘ –, und das Motiv, das ihn bewegt, ist die *erberme*, die mitleidige Liebe. Er folgt damit der Lehre des Gurnemanz 170, 29ff.: ‚*der kumberhafte werde man ... dem sult ir helfe sin bereit ...*‘ Kundries Rede ist ihm tief zu Herzen gegangen, er will gut machen, was er versäumt hat. Von Gott ist dabei gar nicht die Rede, denn mit *erberme* hat Gott, wie Parzival ihn kennt, nichts zu tun – niemand hat ihm etwas davon gesagt. Erst durch Gawans Abschiedswunsch wird die Rede auf Gott gebracht – so wie einst erst die Erwähnung des Namens Gottes durch die Mutter die Frage nach Gott auslöste, und der erste Satz, den Parzival sagt, ist eine wörtliche Wiederholung seiner damaligen Frage: ‚*we waz ist got?*‘. Das *we* wird verständlich aus dem folgenden Vorwurf: Gott ist nicht so, wie die Mutter lehrte, er hat keine *triwe* (119, 24), er hilft nicht, wenn man ihn anruft. Parzival hat der Lehre der Mutter über Gott geglaubt, denn er hat sie immer bestätigt gefunden: Gott hat immer geholfen, sein Leben hat *gelücke erholt* durch *diu gotes kraft* (228, 23f.). Der Fluch Kundries läßt ihn erkennen, daß Gott ihm beim Gral nicht geholfen hat. So kündigt er ihm nun den Dienst. – Parzivals ‚Gott‘ und der Gral haben also gar nichts miteinander zu tun; sein ‚Gott‘ – der Gott der mütterlichen Lehre – ist nicht der Gott des Grals. Der Gralsbesuch ist nur eine der mancherlei Gelegenheiten, bei denen Gott helfen muß. Wenn Parzival ihm jetzt den Dienst aufkündigt, so handelt er, wie er handeln muß: er kündigt einem Dienstherrn, der die Treuepflicht verletzt hat, in der Hoffnung, daß dieser sich eines besseren besinnen werde. Was Gott ist, das entnimmt Parzival nach wie vor allein der mütterlichen Lehre. Der Unterschied zu früher besteht nur darin, daß es sich jetzt in negativer Weise zeigt. Der Fehler liegt nicht an der Lehre, sondern an der Person Gottes, so meint Parzival.[19]

[19] Wapnewski a. a. O. 87: „Gott ist keine transzendente Macht, nicht geheimnisvoll strahlende Mitte religiösen Erlebnisses, sondern eine Art Oberritter, dem Diesseits nicht

Die Belege, die das IX. Buch bringt, schließen sich den bisherigen gleichsinnig an. Im Gespräch mit Kahenis 447, 25ff.:

> ,ich diende eim der heizet got,
> e daz so lasterlichen spot
> sin gunst übr mich erhancte:
> min sin im nie gewancte,
> von dem mir helfe was gesagt:
> nu ist sin helfe an mir verzagt'.

Deutlich wird hier auf die Lehre der Mutter Bezug genommen: von *helfe* hatte Herzeloyde 119, 24 gesagt (danach hat niemand mehr von Gott gesprochen), ebenso deutlich sagt der Text, daß Parzival dieser Lehre immer gefolgt ist, und seine Enttäuschung beweist, daß er auch jetzt noch an ihr festhält.

450, 17ff.:

> ,sich füegt min scheiden von in baz,
> sit ich gein dem trage haz,
> den si von herzen minnent
> unt sich helfe da versinnent.
> der hat sin helfe mir verspart
> und mich von sorgen niht bewart'.

451, 9ff.:

> alrerste er do gedahte,
> wer al die werlt volbrahte,
> an sinen schepfaere,
> wie gewaltec der waere.
> er sprach: ,waz ob got helfe phligt,
> diu minem truren an gesigt?
> wart ab er ie ritter holt,
> gedient ie ritter sinen solt,
> ode mac schilt unde swert
> siner helfe sin so wert,
> und rechtiu manlichiu wer,
> daz sin helfe mich vor sorgen ner,
> ist hiut sin helflicher tac,
> so helfe er, ob er helfen mac'.

Gott als Schöpfer[20] und Helfer, das hatte Herzeloyde gelehrt. Parzival fordert von Gott, daß er sich als der erweist, der er nach jener Lehre ist.

nur vorgesetzt sondern auch angehörig." Ein ,dem Diesseits angehöriger Gott' kann nur ein heidnischer sein. Vgl. dazu OHM a. a. O. 168: „Der Götzendienst geht per se auf die Kreatur ... die Heiden bleiben bei der Kreatur stehen, sie machen das Instrument und Symbol Gottes zum Gegenstand der Verehrung."

[20] Das *gebot* 119, 13 kann sich nur auf die Schöpfungsordnung beziehen.

452, 1ff.:

Er sprach: ‚ist gotes kraft so fier
daz si beidiu ors unde tier
unt die liut mac wisen,
sin kraft wil i'm prisen.
mac gotes kunst die helfe han,
diu wise mir diz kastelan
dez waegest umb die reise min:
so tuot sin güete helfe schin:
nu genc nach der gotes kür‘.

Wieder handelt es sich um die *kraft* Gottes. Kahenis hat Gott gepriesen, Parzival stellt ihn nun auf die Probe. Das Wort *güete* bezieht sich auf das, was Kahenis sagte. Zum ersten Male seit jener Unterredung mit der Mutter nach dem Vogelmord in Soltane hört Parzival wieder über Gott und sein Wesen. Er befolgt, wie auch schon vordem, sofort den gegebenen Rat: *ritet fürbaz uf unser spor* (448, 21).

461, 9ff.:

‚ouch trage ich hazzes vil gein gote
. . .
kunde gotes kraft mit helfe sin
. . .
des gihe ich dem ze schanden,
der aller helfe hat gewalt,
ist sin helfe helfe balt,
daz er mir denne hilfet niht,
so vil man im der helfe giht‘.

Zum letzten Male, wie in einem verzweifelten Aufschrei (*helfe* 5 mal in 4 Versen!), die mütterliche Gotteslehre. Gott ist für Parzival ausschließlich der Mächtige, er ist *gewaldic*, seine *kraft* ist *fier*, er hat *helfe*. Parzival trägt Gott *haz* (450, 18ff.), weil er ihm nicht geholfen hat.

Wir bemerken also, wenn wir dem Text aufs Wort sehen, nicht die geringste Änderung in Parzivals Gottesbegriff; er deckt sich von Anfang bis Ende mit dem der Mutter. Und genau wie bei der Weltlehre scheitert Parzival daran, daß er sich immer an der Mutter Rat hält.

Ich fasse das Ergebnis dieses Kapitels kurz zusammen.

Weltlehre und Gotteslehre Herzeloydes stimmen nach Inhalt und Absicht völlig zusammen. Sie sagen aus, was nach ritterlich-höfischer Vorstellung dem hochgeborenen Menschen in die Natur gelegt ist, was er von Natur aus mit ins Leben bringt. Das Wort der Lehre wird gleichsam übertragen auf den Belehrten und macht dessen Wesenskern aus. Diese ‚Übertragung' ist also nicht realistisch – psychologisch oder pädagogisch zu verstehen (in radikalem Unterschied zu Chrétiens Text), obwohl der Zusammenhang der erzählten Vorgänge dem Leser oder Hörer ein solches Verständnis nahelegt. Das vordergründige, sinnlich anschauliche Bild verdeckt den eigentlichen und wahren Sinn, der sich erst erschließt, wenn man den Text ‚beim Wort nimmt'.

Das folgende Kapitel wird versuchen, deutlich zu machen, warum ein solches ‚wörtliches' Verständnis gefordert wird.

3. Wesen der Lehre

Die Vorstellungen, die man sich gemeinhin von dem ‚langsamen Reifen' und ‚Hineinwachsen in das Leben', von der ‚Entwicklung' Parzivals gemacht hat, setzen voraus, daß daran außer der Belehrung durch die Mutter, Gurnemanz und Trevrizent auch und sehr wesentlich die ‚Erfahrungen' beteiligt seien, die Parzival im Leben macht. So schreibt Friedrich Maurer:[1] „Im Parzival ist das langsame Reifen des Helden begleitet und großenteils bewirkt durch sein leidvolles Erleben der Welt", und: „Erst durch das Leben, das Leid und die Lehre Trevrizents kommt Parzival zu einer tiefer fundierten Gesamterkenntnis". Unter den hier genannten Ursachen steht also das ‚Erleben', die Erfahrung an der Welt, an erster Stelle. Aber der Text kennt eine solche Motivation durch ‚Erfahrungen' nicht. Parzival lernt gar nichts durch die Begegnung mit Menschen und Dingen, er beobachtet gar nicht, er sieht nichts, er merkt daher auch nichts. Er sieht nicht, daß jene Dunkelheit am Bach nicht von der Tiefe des Wassers, sondern vom Schatten herrührt, den das Gras wirft; er lernt nichts von seiner Begegnung mit den Rittern der Artusrunde: er zieht die Ritterrüstung über das Torenkleid. Als Gurnemanz ihn mit zur Messe nimmt und ihn lehrt, wie man sich im Gottesdienst verhält, findet er nicht Gelegenheit, seine mütterliche Gottesvorstellung zu korrigieren und zu erweitern. Wie im Traum geht der Held durch das Land, immer nur geleitet durch die Lehren, die er empfangen hat. In den viereinhalb Jahren, in denen er umherirrt und den Gral sucht, ist er nicht im geringsten klüger geworden, das ‚Leben' hat ihn nicht reifer gemacht. Er hat selbst durch den Kampf mit dem Gralsritter im IX. Buch (442, 26ff.) und durch den vergeblichen Versuch, der Spur Kundries zu folgen und dadurch den Weg zum Gral zu finden, keineswegs begriffen, daß er auf solche Weise nicht zum Ziel kommen wird. Erst ein neuerlicher Rat führt ihn zu Trevrizents Klause: *ritet fürbaz uf unser spor* (448, 21) – aber selbst diese ‚Spur' ist nicht, wie bei Chrétien, durch eingeknickte Zweige real gekennzeichnet,[2] sondern wird durch Gott selbst gewiesen: Parzival überläßt den Weg dem *kastelan* (452, 6). Wenn ein drastischer Vergleich erlaubt ist: Parzival verhält sich wie ein Insekt, das immer wieder gegen eine Fensterscheibe fliegt, bis ihm eine helfende Hand den Weg ins Freie weist. Wo einmal von einer Beobachtung die Rede ist, wie 161, 25ff., wo Parzival die Türme der Burg

[1] Leid, 116; 126.
[2] Hilka a. a. O., 6325–6330.

des Gurnemanz für Gewächse hält, da bleibt es beim bloßen Verwundern. An dieser Stelle ist auch einmal von einer Erinnerung an Zustände in Soltane die Rede. Sonst erinnert sich Parzival immer nur an die Lehre der Mutter, d. h. an Worte, aber niemals an ‚Erfahrungen', die er in Soltane, etwa auf der Jagd oder im Hause der Mutter, gemacht hat. Das ganze Leben in Soltane liegt unerlebt hinter ihm, im Gegensatz zu Chrétiens Perceval, der immer wieder zurückblickt und Vergleiche zieht. Parzival sieht immer voraus. Die Zeitangaben des Textes sind ganz unrealistisch: Parzival reitet von Soltane fort, verbringt irgendwo die Nacht (129, 14f.), trifft am nächsten Tag Jeschute und Sigune, übernachtet bei dem Fischer (142, 11ff.), reitet zu Artus, tötet Ither und kommt noch am selben Abend zu Gurnemanz (165, 18ff.). Er übernachtet dort, wird belehrt, übt sich in ritterlichem Kampf, bleibt 14 Tage (176, 29), reitet an einem Tage nach Pelrapeire (189, 15; 20), schläft dort eine Nacht und heiratet am nächsten Tage Konduiramurs. Die Zeitangaben sind, wie jeder nachlesen mag, ganz präzise, man kann genau nachrechnen: vom Ausritt bis zur Erlangung der Königswürde sind 18 Tage vergangen! Bis zur Verfluchung durch Kundrie vergehen nur einige Wochen. Dann folgt der Irrweg der viereinhalb Jahre, aber diese lange Zeit bringt nicht den geringsten Fortschritt. Das ‚Leben' wird also rasch ‚gelernt', danach ist das Dasein in Kampf und Not ohne Wirkung. Parzival steht niemals den ihm begegnenden Ereignissen und Menschen wirklich beobachtend und urteilend gegenüber, er wägt niemals das Für und Wider ab – auch nicht nach der Belehrung durch Gurnemanz –, sondern er folgt immer starr dem gegebenen Rat.

Man hat dieses seltsam unwirkliche Verhalten – sofern man es überhaupt bemerkte – bisher in der Weise verstanden, daß der Dichter hier einen ‚innerlichen' Vollzug habe darstellen wollen, wobei solche Innerlichkeit freilich recht verschieden aufgefaßt wurde. Julius Schwietering führt die ganze Lebensbewegung auf die „Kräfte der *art*" zurück, deren Parzival sich nach und nach „bewußt wird".[3] Die „Sehnsüchte des Bluts" treiben den Knaben voran, Verwandte dienen Gott als „Mittel seiner Führung". „... *triuwe*, aus dem Unbewußten des Bluts emporsteigend", hätte ihn leiten sollen, die Rücksicht auf die Lehre läßt ihn scheitern. – Anders Wolfgang Mohr: „Parzival wächst unbewußt in sein Dasein. Er trägt sein telos in sich, wie der Pflanzenkeim, der zum Baum wird. Einzig dies macht ihn auf seine Weise zum Leben geschickt ...".[4] „Alle gültigen Aufträge kommen ihm von innen her". Unter diesem Aspekt erscheinen die Lehren dann teils als hindernd, teils als fördernd. Als Kern der Persönlichkeit Parzivals erweist und be-

[3] Die deutsche Dichtung des Ma., 164f.
[4] Euph. 52, 1958, 3.

hauptet sich ein individuell oder sippenhaft bedingtes Charisma, das sich ‚unbewußt' an der Begegnung mit dem Leben entfaltet. „Handelt er überlegt, mischt sich ihm irgend etwas, was er gelernt oder wozu er von außen her den Auftrag bekommen hat, in sein Tun, dann handelt er verkehrt, entweder in rührend torenhafter Weise, oder er belädt sich mit Schuld".[5] Die Meinung ist: das von außen her Wirkende, sei es Leben oder Lehre, hindert die Entfaltung der Innerlichkeit. Maurer sieht, im Gegensatz dazu, Leben, Lehre und innere Erfahrung (Leid!) zusammen in gleicher Richtung wirken. Die ‚Dumpfheit' Parzivals erwächst nach Mohr also aus dem Primat des Inneren, des „telos". Einem so verinnerlichten Menschen ist – im Gegensatz zu dem ‚Weltmann' Gawan – „die Welt nicht ein Gelände, in dem es sich zurechtzufinden gilt, sie bleibt ihm langehin überrraschende, unverhoffte Begegnung".[6] Parzival wirkt „rührend torenhaft und unbeholfen"; er hat es „mit sich selbst, mit seinen Mitmenschen und mit Gott so schwer", an Gawans „Lebenssicherheit" gemessen, er „erfährt auf seine Weise die Welt und Gott tiefer und inniger als sein glückhafter Freund. Ihm wird am Schluß auch eine höhere Krone des Lebens zuteil".[7]

Die Beobachtung, daß Parzival auf seinem Wege keine Erfahrungen macht, daß er wie blind durch das Land geht, hat also zu der Meinung geführt, er gehöre zu jenen Menschentypen, die, mit einem reichen Innenleben begabt, vor der Welt als Toren erscheinen und dennoch die ‚eigentlichen' Menschen sind. Parzivals Besonderheit soll darin bestehen, daß er eine besondere, tiefe und daher seltene Veranlagung hat, ein mystisch-sippenhaftes Blutserbe oder eine persönliche Begnadung. Das setzt natürlich eine Allgemeinvorstellung von Personalität voraus, die dem neuzeitlichen Begriff des ‚Charakters' entspricht. Darin sind sich die genannten Beurteiler einig. Ihr Sprachgebrauch bei der Beschreibung dieses Charakters läßt das deutlich genug erkennen. Wenden wir aber die Vorstellung von dem Primat des Innenlebens auf den Text an, so erscheint dort dieses Innenleben lediglich als jene *triuwe* gegenüber dem Gebot der Mutter, die den Knaben zum genauen Befolgen ihrer Lehre und danach der beiden weiteren Lehren verpflichtet; hat sie ihm doch geraten, weisen alten Mannes Rat immer zu befolgen. 467, 16f. sagt Parzival:

> ‚ich han mit sorgen mine jugent
> alsus braht an disen tac,
> daz ich durch triwe kumbers pflac'.

Der ‚Gehorsam' hat ihm Kummer gebracht. Das ‚telos' oder ‚Blutserbe' ist also nicht irgend eine unbestimmte, geheimnisvolle Sehnsucht, sondern ein klar ausgesagtes und inhaltlich bestimmtes Gebot. Der Inhalt der Lehren

[5] Ebenda 14. [6] Ebenda. [7] Ebenda 15.

ist eben das, was Wolfram unter dem in Parzivals ‚Innerem' wirkenden Moment versteht. Der von ‚außen' kommende *list* oder *rat* und die von ‚innen' her wirkenden Antriebe sind identisch. Der Text kennt kein eigentliches ‚Innen' gegenüber einem ‚Außen'; natürlich können wir uns der unseren Vorstellungen gemäßen Terminologie bedienen, aber wir müssen uns dabei bewußt sein, daß wir damit eine Umsetzung der Textaussage vollziehen.

Parzivals ‚Dumpfheit' ist also gewiß die Auswirkung eines allein von innen her bestimmten Handelns, da der Gehorsam gegenüber den Lehren eben ein solches Handeln ist. Er ‚hat es so schwer', er handelt ‚verkehrt' und belädt sich mit Schuld, weil er die *triwe* hat, aber schließlich wird ihm aus der gleichen Ursache auch eine ‚höhere Krone des Lebens' zuteil: da er auch Trevrizents Rat befolgt, kommt er zum Heil und zum Gralskönigtum.

So haben wir nun also zu fragen, welche Vorstellungen der Text von der Lehre und ihrer Wirkung auf den Belehrten hat, wenn das ‚Außen' des Rates zum ‚Innen' des Beratenen werden soll. Wie ist jene Identität möglich? Offenbar handelt es sich dabei um eine Art von Übertragung, die nicht über das Bewußtsein geht. Wenn es richtig ist, daß Parzival ‚unbewußt' in das Leben hineinwächst, so darf diese Unbewußtheit doch nicht einen psychologischen Zustand meinen, denn damit wäre wieder ein reales Gegenüber von außen und innen vorausgesetzt; die Unbewußtheit bezöge sich nur auf den Mangel an jeglicher individueller Reaktion und Reflexion. Welches ist also das Organ, mit dem die Lehre in der Weise aufgenommen wird, wie die Textvorstellung es verlangt?

Wir werden, methodischer Forderung gemäß, die Antwort zunächst bei Wolfram selbst zu finden versuchen. Im IX. Buch bezeichnet Trevrizent ausdrücklich den *sin* und die *sinne* als dasjenige im Menschen, womit Erkenntnis der göttlichen Dinge möglich ist: *‚herre, habt ir sin, so schult ir got getruwen wol'* (461, 28f.); *do dir got fünf sinne lech, die hant ir rat dir vor bespart* (488, 26f.). Auf den *sin* dürfte sich auch das *nu prüevt* 463, 4 beziehen. Hätte Parzival seine fünf Sinne beisammen gehabt, so hätte er nichts Falsches tun können. Es sind gerade diese Stellen gewesen, die der üblichen Interpretation, Parzival habe eben seinen Verstand nicht gebraucht oder sein eigenes Inneres nicht sprechen lassen, Vorschub geleistet haben, womit dann jener auf schuldhaftem Versäumnis beruhenden ‚Dumpfheit' die Ursache am Versagen eindeutig zugewiesen ist. Parzival hätte eigentlich aus sich heraus schon wissen müssen, was zu tun recht und richtig gewesen wäre. – Aber das Wort *sin* und sein Plural bedeutet auch hier nicht das, was wir heute darunter verstehen. Die *‚fünf sinne'* sind nicht die Sinnesorgane oder der menschliche Verstand schlechthin. Ich vergleiche zunächst eine Stelle aus der Kaiserchronik. Da heißt es 9475ff.:

du solt got vor ougen han:
er hat dir fiunf sinne gegeben,
du solt gaistlichen leben
du solt behalten diu zehen gebot,
diu unser herre moysen gebot,
also du si selbe hast gelesen.

Die Fähigkeiten der ‚fünf sinne' sind hier also von der Art, daß sie den Menschen instand setzen, die zehn Gebote zu vernehmen und zu behalten. Trevrizent selbst hat sein Wissen um Gott ebenfalls dadurch erhalten, daß er darüber nachgelesen hat in *der waren buoche maere,* d. h. er hat nicht etwa seine Sinnesorgane oder seinen Verstand betätigt, sondern eine Lehre vernommen. Das ‚Lernen' und ‚Behalten' tritt uns auch immer wieder in den Texten, die von der Bekehrung zum wahren Gott berichten, entgegen; ich verweise hier auf die oben S. 26f. mitgeteilten Stellen. Die Vokabeln sind: ‚lernen', ‚behalten'; ‚Namen' müssen gewußt werden. Das *gelouben* ist das Wissen einer Lehre. Das entspricht ganz der theologischen Meinung.[8] Darin ist auch von der Möglichkeit einer ‚Privatoffenbarung' die Rede, d. h. von einer nicht durch den Menschen vermittelten, sondern direkten Einwirkung Gottes. Der *sin* des Menschen kann also auch von Gott selbst angesprochen werden. So dürfte die bekannte Stelle Wh. 2, 18ff. zu verstehen sein: *min sin dich kreftec merket: swaz an den buochen stet geschriben, des bin ich künstelos beliben . . .*[9] Ich stelle dazu einige Verse aus dem Pilatusgedicht

[8] Zur Frage nach den Voraussetzungen für den christlichen Glauben vgl. THOMAS V. AQUIN, Summa theologica, Quaestio 6, 1 (Deutsche Thomasausgabe Bd. 15, 1950, 140): „Zum Glauben sind zwei Dinge erforderlich. Das eine ist, daß dem Menschen die Glaubensdinge vorgelegt werden. Dies ist dazu erfordert, daß der Mensch ausdrücklich etwas für wahr hält. Das andere aber, was zum Glauben erfordert ist, ist die Beistimmung des Glaubenden zu dem, was ihm vorgelegt wird. Was nun das erste angeht, so ist der Glaube notwendig von Gott. Denn was Sache des Glaubens ist, geht über die menschliche Vernunft hinaus; es kommt also nur durch Offenbarung Gottes zur Kenntnis des Menschen." Ebenda 141: „Durch Wissenschaft (per scientiam) wird der Glaube erzeugt . . . vermöge eines äußeren Zuredens, das aus irgendwelchem Wissen stammt."
Vgl. dazu TH. OHM, Die Stellung der Heiden . . . 228f.: „Die Erkenntnis der Geheimnisse des Glaubens ist also dem Heiden nur möglich, wenn sie ihm von außen durch eine unmittelbare oder mittelbare Offenbarung Gottes mitgeteilt werden, d. h. wenn Gott ihm die Geheimnisse direkt durch eine Privatoffenbarung oder indirekt durch einen Engel oder Propheten, die Kirche oder die Missionare o. a. kundgibt. Oportet igitur ea quae per fidem tenemus, a Deo in nos pervenire' (Thomas, Summa contra gentiles I, 5). Demnach sind auch tatsächlich die übernatürlichen Wahrheiten keine Ergebnisse der Forschung und keine Folgerungen aus Vernunftprämissen. Sie sind nicht Blüten und Früchte des Erkenntnisstrebens und -mühens der Menschen, nicht die Resultate natürlicher Philosophie und Theologie. Wir verdanken sie einzig und allein der Offenbarung Gottes." S. auch 225 u. a.

[9] Vgl. hierzu jetzt FR. OHLY ZfdA 91, 1961, 1–37.

(Weinhold, ZfdPh 8, 1877, 273), wo der Verfasser den *sin, der den vunt* (die Dichtung) ‚stärken' muß, als den ‚ersten' aller Sinne bezeichnet (31ff.):

der erste sin is so getan
...
er ist allir sinne vane,
ir zil unde ir zeichen.
ihne mac sin niht gereichen
...
er is mir wilen ze ho,
wilen is er mir eben,
als in der hat gegeben,
der wunderlich heizet
unde umbekreizet
himel unde erden,
der liez den sin gwerden.

Wie im Willehalmprolog, so wird auch hier jener *sin* mit dem Kosmos zusammen als Gottes Schöpfungsgabe aufgefaßt. Da Gott den Menschen nach dem ‚Bilde' seiner selbst geschaffen hat, so muß dieser auch ein Organ haben, Göttliches zu vernehmen. Pz. 113, 17 heißt es von Herzeloyde: *Herzeloyde sprach mit sinne: ‚diu hoehste küneginne Jesus ir brüste bot ...'* Der *sin* gibt hier der Situation ihre eigentliche, d. h. von Gott her gemeinte Bedeutung.

Entscheidend für unsere Frage ist: das Wissen um göttliche Dinge kommt nicht aus dem Menschen selbst durch irgendeine Art von Intuition, sondern immer von außen her: durch einen Rat, einen Zuspruch, sei es der eines Menschen oder Gottes selbst. Der menschliche Sinn, der zum Verständnis taugt, ist ein Organ, das vernehmen kann. Dieses Organ ist nicht das menschliche ‚Bewußtsein'; denn es reflektiert nicht, wie dieses, sondern empfängt nur, nimmt nur auf. Zu seiner begrifflichen Bestimmung haben wir heute kein Wort. Wir müssen uns mit der Feststellung begnügen, daß man im Mittelalter so gedacht hat; diese Denkweise ist unserem Texte angemessen. Das Wort ‚zündet' im Menschen, es wirkt – willensmäßige Zustimmung vorausgesetzt – unmittelbar tätiges Leben. Das Urbild ist der göttliche Schöpfungsakt durch das ‚Wort':

In der werilde aneginne,
Dü liht war vnte stimma,
Dü diu vrone Godis hant
Diu spehin werch gescuph so manigvalt (Anno 2, 1–4; Bulst).

Die Lehre schafft im Belehrten auf die gleiche geheimnisvolle Weise das Sein, wie Gottes Wort aus dem Nichts die Welt schuf.

Das Verhältnis des Belehrten zur Lehre läßt sich am besten mit dem Begriff der Teilhabe ausdrücken. Im mittelalterlichen Schrifttum spielt der *rat*, die *lere*, eine so außerordentlich große Rolle, weil die Person nicht als aus sich selbst heraus, sondern nur in der Teilhabe an einem guten oder bösen Rat handelnd und denkend vorgestellt wird – in der Teilhabe an einer objektiven, außerhalb des Menschen real existierenden Instanz. Das Fundament solcher Denkweise ist der Ideenrealismus. Der Ratende ist der Vermittler der Wahrheit, die substantiell gedacht wird: durch das ‚Wort' allein kann der Mensch an dieser Wahrheit teilhaben, das ‚Wort' allein ‚schafft' Wirklichkeit. Ein einprägsames Beispiel liefert der Beginn des ‚Gregorius': das anfänglich tugendhafte, dann aber sündige Leben der Eltern ist jeweils die unmittelbare Auswirkung eines Rates, zuerst des sterbenden Vaters, sodann des Teufels. Weder hier noch dort erwägt der Sohn die Lehre, die er erhält, es ist nicht einmal von einem Entschluß die Rede, dem Rate zu folgen. Vater und Teufel sprechen gleichsam im Herzen des Sohnes selbst, ihre ‚Stimme' ist des Sohnes Gedanke.[10] Eberhard Lämmert hat in seinem

[10] Gregorius 243ff. – Der Rat des sterbenden Vaters ist Tugendlehre (*lere*, 243–258), danach Bitte um Fürsorge für die Schwester. Diesem Rate gemäß handelt der Sohn (273–302). Der Umschlag zum Bösen geht vom Teufel aus (303ff.)'

Do dise wünne und der gemach
der werlde vient ersach
. . .
ir beider eren in verdroz
. . .
sus gedahte er si phenden
ir vreuden und ir eren
ob er möhte verkehren
ir vreude uf ungewinne
an siner swester minne
so riet er im ze verre
unz daz der juncherre
verkerte sine triuwe guot
uf einen valschen muot.

Zwar begünstigen drei Dinge die Absicht des Teufels: *diu minne, siner swester schoene, sin kintheit* (323ff.), aber in ihnen liegt nicht der Ursprung des Bösen. 339ff. heißt es ausdrücklich:

Do er durch des tiuvels rat
dise groze missetat
sich ze tuonne bewac

und 351f.:

nu begab si der tiuvel nie
unz sin wille an in ergie.

Noch viermal ist danach vom Teufel die Rede: 374, 383, 386, 400. Der Antrieb zum Bösen kommt also von außen her. In dem Wort *rat* ist die ursprüngliche Bedeutung ‚Vorsorge, Vorrat, Nahrungsmittel' durchaus noch enthalten, nur daß es sich jetzt um

Buche „Bauformen des Erzählens" auf die erzählerische Bedeutung dieser Teilhabe hingewiesen (180): in Konrads von Würzburg ‚Sylvester' erscheint Petrus dem Papst und gibt ihm guten Rat, wie er den Drachen, der Rom bedroht, überwinden soll (771–814); dann vermeldet der Text in kurzen Worten, daß Sylvester dem Rate folgte:

830–833:

er tet an alle vorhte
daz im geboten haete
der zwelfbote staete
als ich da vorne han geseit.

Der „didaktische Rückverweis" des letzten Verses ist nur möglich, weil Rat und Tat völlig zusammenfallen; die Ausführung zeigt keinerlei Abweichung von der Anweisung, weil Sylvester ‚gehorsam' ist. In dem gleichen Sinne ist auch Parzival ‚gehorsam'. Denkbar ist natürlich, daß dem Rat nicht Folge geleistet wird, daß der Mensch ‚ungehorsam' ist; aber zwischen ‚Gehorsam' und ‚Ungehorsam' gibt es keinerlei Mittleres, nicht etwa ein teilweises oder bedingungsweises Befolgen. Der Begriff der Teilhabe schließt jegliche Erwägung oder Erörterung, jeden Zweifel und jede Rückfrage bei irgendeiner denkbaren anderen Instanz aus. Möglich ist nur die Entscheidung für oder gegen. Parzival entscheidet sich immer für den Rat, er hat an jedem Rat, der ihm gegeben wird, teil. Deutlich genug drückt der Text auch aus, daß das Hören immer zugleich ein Aufnehmen ist, daß der Rat unmittelbar zur Tat wird. Parzivals einzige Worte auf die Lehre der Mutter sind sofortige Zustimmung (128, 11f.):

‚Daz rich ich, muoter, ruocht es got:
in verwundet noch min gabylot.'

Genau so ist es bei den beiden anderen Lehren.[11]

geistige Substanzen handelt. Man muß die heute geläufige Bedeutung ‚Vorschlag, eigene Meinung' fernhalten, da sie das dem ma. Begriff ganz fremde Moment der Unverbindlichkeit, der bloß individuellen Meinung enthält, die natürlich ein abwägendes Überlegen des Beratenen zur Folge haben muß. – Vgl. hierzu über *rede* u. S. 84 Anm. 10.

[11] Martins Kommentar zu 120, 1 *dar nach*: „ohne über das Gehörte länger nachzudenken. Treffliche Kennzeichnung des kindlichen Leichtsinns" erteilt ein Lob, das ganz unberechtigt ist. Nach dem *rat* bei Gurnemanz verhält sich P. nämlich genau so, nur daß er sich dort dankend verneigt (173, 7) – weil er soeben höfische Sitte gelernt hat und sie nun sogleich betätigt. Auch bei der Trevrizentlehre kann man nicht von ‚Nachdenken' sprechen, hier schließt nur der Dank ab (467, 11ff.). Der Einwurf Parzivals 464, 1ff. dient lediglich der Auflösung des auch dem Hörer unverständlichen Gleichnisses von der befleckten Erde. Vgl. H. Kuhn, DVj. 30, 1956, 170 und 189. Auch in Veldekes Eneit (Behaghel 9749–9985 u. 10050ff.) folgt die Verwirklichung der Lehre unmittelbar auf die Lehre selbst: an die Unterrichtung Lavinias über das Wesen der Minne durch die Mutter schließt sich sofort die Begegnung mit Aeneas an, und alle Po-

Man muß hierbei festhalten, daß solche Teilhabe am Rat die Übernahme der Verantwortung für das dem Rate entsprechende Tun einschließt. Die Autonomie des sittlichen Willens ist eben durch die Freiheit der Entscheidung für oder gegen den Rat gewährleistet. Das ist für die Erörterung des Schuldproblems von größter Wichtigkeit. Die Unmittelbarkeit der Beziehung von Rat und Tat bedeutet, daß alles, was über die Tat gesagt werden muß, auch auf den Rat zutrifft. Mit anderen Worten: Parzivals *tumpheit* ist auch die *tumpheit* der mütterlichen Lehre. Die Erörterungen über das ‚wörtliche' Verstehen, die die Forschung so viel beschäftigt haben, sind irrelevant, denn es gibt gar keinen inneren Prozeß des ‚Verstehens', an den man die Schuldfrage anknüpfen könnte.

Ich will hier noch ein relativ spätes Denkmal heranziehen, das mir für diesen Zusammenhang erhellend scheint. In seiner ‚Apokalipsis' erörtert Heinrich von Hesler[12] das Verhältnis von geistlichem Lehrer zum Lernenden. Er stellt es in Analogie zu der Beziehung Gottvaters zum Sohne. Von allem Anbeginn an war der Sohn schon im Wort des Vaters (690ff.):

So gebar in der vater doch
In gotlicher minne
Vor dem ewigen beginne
Dan er hir wurde geborn
. . .
Unde als die muter hie gebar
. . .
Daz gemischete Gotes wort,
Also gebar iz der vater dort
In eweclicher vorbesicht.

593ff.:

Das erste wort siner vrie
Daz waz diz: ‚Ave Marie!
Got unser herre mit dir wone!'
. . .
Do entpfienc sie von der Gotes craft
Den waren Gotes sun Crist
In also glicher kurzen vrist
Als ein blics gaes irschricket
Und in ein gadem blicket.

sitionen des soeben vermittelten Wissens werden nun realisiert. Lavinia nennt diese rasche Aufeinanderfolge *ze fru*, ‚viel zu früh'. Das ist ein psychologisierendes Raisonnement, das eindrucksvoll das epische Nacheinander mit dem prinzipiellen Zugleich verbinden muß. Ohne die Belehrung hätte die Begegnung mit Aeneas nicht zur Minne geführt: Lavinia erlebt, was sie gelernt hat.

[12] Hrsg. v. KARL HELM, Dt. Texte d. Ma. VIII, 1907.

Noch sneller odir also kurt
Waz ir edele geburt.
Als gaes als daz gewerb geschach
Daz Got in sime willen sprach:
‚Geschich!‘ ...

Das ‚Wort‘ zeugt ‚blitzartig‘ den Sohn in Maria; es war schon von allem Anfang an bei Gott. Vater und Sohn gehören im ‚Wort‘ ununterscheidbar zusammen:

703ff.: Sus zu schiden sie sich nie
...
Eben here und glich gewaldic.

In dem gleichen Sinne gehören auch der Lehrer und der Hörer zusammen (725ff.):

725 Die lerer die sint selic,
Ir horcher sint unmelic
Totlicher sunden die sie tuen;
Der mensche ist kranc als ein huen
Von angeburner geburt,
730 Und unse zit ist also kurt;
Vil guter sinne der weldet
Der die wort hört und beheldet.
Hir getreffen zu zwo personen,
Den man beiden sal dort wol lonen,
735 Wen ir beider lon wird reine:
Der lerer ist der eine,
Der sie den oren brenget zu,
Der horcher daz her die werc tu,
So daz her uz dem wege nicht wandre.
740 Der niweder touk ane daz andre,
Wen sie sint selic beide
Mit gleichem underscheide,
Der lerer der die wort leret,
Der horcher der sich bekeret.

Lehrer und Hörer sind ununterscheidbar gleich (742), weil sie beide an dem gleichen ‚Wort‘ teilhaben. Die Lehre ist Substanz, sie macht Lehrer und Hörer wesensgleich, so wie Gottvater und Gottsohn wesensgleich sind. Das Teilhaben am Wort wird auch hier einfach mit dem Hören und Behalten umschrieben, und wieder sind es die *sinne*, die das Wort aufnehmen (731f.). Der Akt der Aufnahme ist kein Prozeß, sondern ein blitzartiges Zünden; das ‚Wort wird Fleisch‘ in dem Augenblick, da es ausgesprochen wird.

Es sind, so meine ich, Vorstellungen dieser Art, die uns bei der Analyse des Textes auf den rechten Weg zu seinem Verständnis leiten. Sie machen uns begreiflich, wie jene seltsame und aller Lebensrealität widersprechende Motivation des Verhaltens Parzivals allein durch das ‚Wort' möglich ist: der ‚logische' Fortgang der Handlung hat sein Prinzip im religiösen Bereich. Von dort her ist auch einsichtig, daß es grundsätzlich keinen Unterschied zwischen der Wirkung der Worte Herzeloydes und der der beiden anderen Lehrer gibt. Denn was auch immer gewirkt wird – es geschieht durch das ‚Wort', seien es nun Naturanlagen, Tugendwerte oder Glaubenstatsachen. Der Zuspruch des ‚Lehrers' ‚zündet' im jeweils zugeordneten Organ des ‚Belehrten' die ‚Wirklichkeit'.

Das gilt gewiß nur für Parzival und seinen Weg zum Gral. Gestalten wie etwa Gawan oder Gahmuret müssen von ganz anderer Ebene her beurteilt werden, man kann sie keinesfalls als ‚extrovertierte' Charaktere einem ‚introvertierten' Parzival gegenüberstellen. Die ‚Dumpfheit' Parzivals ist das vordergründig-unmittelbare Bild, das der Text vermittelt; es muß notwendigerweise entstehen, weil es ja doch nicht wirklich gelingen kann, den ‚logischen' Fortgang der Handlung durch eine scheinbar kontinuierlich ablaufende *aventiure* zu überdecken. Der Erzähler Wolfram hat zweifellos diese Absicht gehabt und viel Mühe darauf verwendet (3, 25ff.).

4. Die religiöse Bedeutung der Lehre Herzeloydes

Die Geschehnisse in Soltane haben, so läßt die obige Untersuchung vermuten, eine spezifisch religiöse Bedeutung. Es ist deutlich geworden, daß es dem Text viel mehr auf die Worte Herzeloydes ankommt als auf ihre Person, daß die Mutter nicht einfach eine ‚Mutter' ist, die mit ihrem Kind umgeht, wie es Mütter so zu tun pflegen. Es handelt sich auch nicht um ein aus dem Üblichen hervorgehobenes besonderes Verhältnis von Mutter und Kind, weder im ritterlich-höfischen noch im religiösen Sinne. Man darf also das Spezifische, das Einmalige der Gestalten und ihrer Situation nicht in irgendeinem persönlichen Moment sehen, sondern gerade darin, daß die Gestalten nicht Personen im Sinne realer oder auch idealisch überhöhter Lebenswirklichkeit sind, sondern dichterische Figuren, in denen sich ein religiöser Sachverhalt mittelbar ausdrückt.

Über diesen Sachverhalt klärt uns das IX. Buch gründlich und vollständig auf. Wir müssen seine Aussagen auf die Worte und Handlungen der vorangehenden Romanteile beziehen, wenn wir deren eigentlichen, d.h. religiösen Sinn bestimmen wollen. Das ist zum guten Teil unmittelbar möglich, da der Text selbst einen solchen Bezug herstellt. Trevrizent sagt recht eindeutig, wie Parzivals Tun zu beurteilen sei. Andrerseits bedarf es aber auch eines mittelbaren Verfahrens, dort nämlich, wo es sich nicht einfach um die religiöse Schuld handelt, sondern um die Verknüpfung der Geschehnisse, um die Bestimmung des Einzelnen im Gewebe des Ganzen. Wir müssen versuchen, dem Text die ihn bestimmenden religiösen Zusammenhänge abzufragen.

Der erste Satz, der eine religiöse Interpretation der Handlung enthält, ist Parzivals Ausspruch: *ich bin ein man der sünde hat* (456, 30).[1] Dieses Wissen hat Parzival nicht aus ‚sich selbst' oder aus irgendeiner Erinnerung an früher schon Gehörtes (von Sünde hat niemand je zu ihm gesprochen),[2] er hat es auch nicht aus irgendeiner Erfahrung am Leben (denn er macht gar

[1] Ps. Gedenken *an sinen schepfaere, wie gewaltec der waere* (451, 11f.) gehört durchaus ins heidnische Gottesbild; das beweisen die folgenden Verse (s. o. S. 36 Text u. A. 20). Vgl. dazu S. 29. Die Stelle Rol. 20ff. (Wesle): *die grimmigen heiden ... sine wessen e nicht, wer ir shephere was,* steht dem nicht entgegen, denn sie meint: sie wußten nichts vom wahren Wesen Gottes, ihres Schöpfers.

[2] Das Wort *sünde* begegnet vor dieser Stelle im Zusammenhang mit Parzival nur 251, 14 und 316, 23. In beiden Fällen steht es in einer Rede, die Aufklärung über den Gral gibt und Parzival wegen seines Schweigens tadelt (Sigune, Kundrie), und zwar ganz beiläufig. Was Sünde ist, erfährt Parzival erst 448, 1ff.

keine Erfahrungen), sondern er hat es aus der Lehre des Kahenis, des Pilgers, der ihn danach zu Trevrizent weist (448, 26). Kahenis nennt Parzival einen *heiden* (448, 19), weil er am Karfreitag gewappnet ist; Parzival hat die christlichen Festzeiten ‚vergessen', d. h. er hat den Gottesdienst, den ihn Gurnemanz lehrte (169, 15ff.), aufgegeben, weil Gott ihm nicht geholfen hat. So sagt er selbst 447, 25–30. Der Gott aber, an den er glaubte, den er ‚meint', ist der ‚Gott' der mütterlichen Lehre! So fragt denn Kahenis auch sogleich: *meint ir got den diu magt gebar?* (448, 2). Diesen, den christlichen Gott, meinte Parzival nicht, denn von ihm wußte er bisher gar nichts. Des Kahenis Meinung, Parzival sei *ein heiden,* trifft den Sachverhalt genau: der Mutter ‚Gott' ist der Gott, wie ihn die Heiden, die im Glauben unbelehrt sind, verehren.

Parzivals *missetat* (448, 24), seine *sünde,* zu der er sich nach dieser Belehrung bekennt, besteht also darin, daß er der Lehre der Mutter folgte, d. h. daß er ihrer Gotteslehre glaubte. Seine Absage an ‚Gott' bedeutet ja keineswegs, daß er die mütterliche Gotteslehre für unrichtig hält, sondern sie ist nur Ausdruck des Zornes gegenüber einem Gott, der sein gegebenes Wort brach. Die Absage an Gott ist nicht Zweifel am Wort der Mutter. Man muß diesen im Text genau belegbaren Zusammenhang streng beachten, weil man sonst falsche Folgerungen aus Parzivals Sündenbekenntnis zieht. Er nennt sich einen *man, der sünde hat,* weil er dem Gebot und Wort der Mutter entsprechend lebte, denn nur unter dieser Voraussetzung ist ja seine Absage an Gott möglich gewesen, da der mütterliche ‚Gott' einer sein soll, der immer und unter allen Bedingungen hilft, wenn man ihn nur bittet und seiner Hilfe bedarf. Der *got, den diu magt gebar,* ist aber nicht von solcher Art.

Für die religiösen Zusammenhänge des Geschehens in Soltane, auf die es uns hier ankommt, ist wichtig, daß der sündige Parzival der belehrte Parzival ist. Wir müssen also den noch unbelehrten Parzival am Anfang des Lebens in Soltane als einen Menschen ohne Sünde ansehen. Zu jener Zeit ist ihm die *waste* noch die ganze Welt. Er weiß noch nichts von einem Leben außerhalb der Waldeinsamkeit und zeigt auch gar keinen Trieb, sie zu verlassen. Ganz in sich selbst zufrieden treibt er sich jagend und den Vögeln lauschend im Walde umher. Die Frage nach Gott und nach Rittertum kommt keineswegs aus ihm selbst. Sie wird erst angeregt durch die Nennung des Namens Gottes und durch das Auftreten der Ritter. Erst durch die Belehrung der Mutter ist der ursprüngliche, in sich selbst ruhende Zustand aufgehoben, ihm folgt ein anderer, der Ziel und Streben hat. Dem Knaben eröffnet sich eine neue Welt: die Dynamik menschlichen Daseins und dessen Problematik. Von nun an ist er der Suchende, der immer Bewegte, der Strebende. Wenn dieses Suchen und Streben Sünde ist, wie das

IX. Buch sagt (Trevrizent präzisiert die Vergehen später), wenn dazu, wie wir gesehen haben, alles Handeln immer nur das Befolgen einer Lehre ist, so muß Parzival vor aller Belehrung der Sündlose sein.

Nun gibt es aber, auch nach mittelalterlicher Meinung, im Leben zu keiner Zeit einen Zustand ohne Sünde. Schon im kleinsten Kind regt sich der sündhafte Trieb.[3] Von Sündlosigkeit spricht die christliche Lehre von der Erbsünde, wenn sie jenen Zustand meint, in dem Adam sich ursprünglich nach seiner Erschaffung befand; er war da noch in voller Einheit mit Gott. Das heißt aber: er hatte noch die Freiheit zu sündigen oder nicht zu sündigen (posse peccare – posse non peccare). In der Unschuld der reinen Geschöpflichkeit fehlte dem Menschen also keineswegs die Möglichkeit zu falschem Tun (wie man meinen könnte), sondern es fehlte der Zwang, das Böse zu tun. ‚Sündlosigkeit' bedeutet völlige Freiheit der Wahl. Diese Freiheit wurde durch den Ungehorsam Adams und Evas aufgehoben, sie gerieten in den Zustand des non posse non peccare.[4]

Fragen wir, was der Text von Parzival vor aller Belehrung berichtet. Die einzige Handlung, von der die Rede ist, ist die Episode von der Tötung der Singvögel. *art* und *gelust*, so heißt es 118, 28, treiben ihn dazu, zu jagen und dem Vogelsang zu lauschen. Einmal geschieht es, daß beide Triebe miteinander in Konflikt geraten: er tötet auch die Vögel. Darob weint er und schont von nun an die Vögel – er verwehrt der Mutter, sie töten zu lassen. Es ist also nicht etwa eine Neigung in ihm, gerade auch die Vögel zu töten. Der Konflikt ist nur zufällig, ein bloßer Mißgriff, es fehlt jeglicher Zwang dazu.

Das dürfte ganz dem Zustand des posse peccare – posse non peccare vor dem Sündenfall entsprechen. Man vergleiche dazu das spätere Verhalten Parzivals nach der Belehrung: da treibt es ihn, da kann er nicht anders, da ist er *gach* nach Rittertum und Ruhm. Hier aber hat der Zufall das Miß-

[3] Hellmut Rosenfeld wirft mir DLZ 75, 1954, 757–762 vor, ich hätte das nicht gewußt. Aber er hat in meiner von ihm getadelten Abhandlung Seite 14 nicht gelesen; da steht: „Aber das Idyllische ist ... Zustand vor allem Leben. P. ist noch kein ‚Mensch' im eigentlichen Sinne ...", und auch S. 15 nicht: „in der Wirklichkeit gibt es keinen Zustand der Unschuld. Darauf weist mit Recht Schwietering ZfdA 81, 1944, 59 hin. Wo Leben ist, ist auch Schuld. Gemeint ist bei Wolfram aber der Zustand vor dem Leben ..."

[4] Vgl. Heinrich Köster, Die Heilslehre des Hugo v. St. Victor, Emsdetten 1940, besonders S. 111.
Die lat. Formel findet sich wiederholt in der mhd. Literatur, so bei H. v. Hesler, Ev. Nic. (Helm, Bibl. d. Lit. Ver. in Stuttgart 224, 1902) 4124ff.: *Do er der werlde rest began, er sprach: wir machen einen man, nach unserm bilde gestalt. er het ir beider gewalt zelaazne unde zetune.* – Schönbach, Adt. Predigten 2, 116, 7ff.: *e der mensch von des tiufels rat geviel, do waz er wiz, do waz er untœtlich, do het er frilich ze tuon uebel oder guot.*

geschick verursacht, die Handlung ist ein Fehlgriff.[5] Die Episode bedeutet, daß Parzival noch ganz in der geschöpflichen Einheit mit Gott ist. Er lebt ohne zu fragen in der Seligkeit der Unschuld, wie Adam im Paradiese, bevor er vom Baume der Erkenntnis gegessen hatte. Er hat keinerlei Absicht, diesen Zustand zu verlassen, da er von irgend etwas anderem ja gar nichts weiß. Trefflich kennzeichnet das Weinen Parzivals, über dessen Ursache er gar nichts sagen kann, die eigentlich gemeinte Situation.

Durch die Belehrung wird das anders. Die Mutter unterläßt das Töten der Vögel unter Berufung auf Gottes Gebot. Sie nennt *got* (119, 14), und damit regt sie den Knaben zur Frage nach Gott an. Mit der Frage ist die ursprüngliche Einheit verloren – man fragt doch nur nach etwas, das man nicht hat. Das klagende *Owe* der Frage kann sich nur auf diesen Verlust beziehen – freilich nicht in realistischem Sinne –, denn aus dem Vorhergehenden ist es nicht motivierbar. Gottes *gebot*, die Vögel zu schonen, auf das Herzeloyde sich beruft, und Parzivals Wille stimmen ja völlig überein. Gott erscheint hier im Wort der Mutter für den Knaben nicht im geringsten als einer, der für den Knaben zu fürchten wäre. Parzival beginnt die Frage mit dem *Owe*, weil er vordem nicht zu fragen brauchte; das *Owe* beklagt, daß gefragt werden muß. Denn nun ist in Parzival jenes Wissen um Gut und Böse entstanden, von dem die Schöpfungsgeschichte der Bibel berichtet, und so schließt die Gotteslehre im Anklang daran mit den Worten: *sin muoter underschiet im gar daz vinster und daz lieht gevar* (119, 29f.). Der Knabe ist nun im Zustand des non posse non peccare, er ist der sündige Mensch ganz im Sinne Adams nach dem Essen der Frucht. Als Parzival Soltane verläßt, ist er der ‚natürliche' Mensch, er hat ein Wissen von Gott und der Welt, wie es der Mensch bei seiner Geburt infolge der Erbsünde mit auf die Welt bringt.

Wir müssen uns hier ganz an die mittelalterlich-theologischen Vorstellungen halten, wenn wir verstehen wollen, was der Text eigentlich meint. Danach liegt das Böse nicht in der wahren Natur des Menschen, die ja göttlichen Ursprungs ist, sondern ist erst von außen an ihn herangetragen, ist ihm ‚angeraten' worden. Seine im Leben wirkliche ‚Natur' erhält er erst durch diesen Rat. Man muß also zwischen zwei verschiedenen Begriffen von ‚Natur' unterscheiden. Das tut der Text mit aller Genauigkeit. Parzival hat eine gute Natur von Gott her; sie erweist sich in der Schönheit seiner Gestalt, in den männlich-kraftvollen Anlagen (112, 21ff. und öfter), in der ererbten Rittertüchtigkeit, im *unverzaget mannes muot* (1, 5). Alle positiven Urteile des Textes bis zum IX. Buch beziehen sich darauf. Wenn man immer

[5] KÖSTER a. a. O. 68: „Da das sinnliche Streben naturhaft nur das ihm Angemessene erstrebt – was nicht durch einen irrtümlichen Fehlgriff auf ein Übel ... widerlegt wird ..."

wieder gesagt hat, Parzival sei doch eigentlich ein ‚guter' Mensch, sein eigenes ‚Innere' leite ihn immer auf das rechte Ziel hin und ähnliches mehr, so ist das alles zutreffend, wenn man damit solche ‚gute' Natur aus Gottes Schöpfungsgnade meint. Aber diese ‚gute' Natur wird durch den Rat der Mutter (und der Ritter) zur Natur im erbsündigen Sinne, wie es seit dem Sündenfalle mit jedem, auch dem bestveranlagten Menschen, geschieht. Wenn, wie es im Text heißt, die Mutter den Knaben den Unterschied von Gut und Böse lehrt, so verursacht sie das selbe, was im Paradiese durch das Essen der Frucht bewirkt wurde. Ich zitiere dazu M. Schmaus[6]: „Nach dem Zeugnis der Schrift wäre freilich der so hoch erhobene Mensch aus sich heraus nicht auf den Gedanken gekommen, seine Sehnsucht auf anderes als auf Gott in gottwidriger Weise zu richten. Gott war so sehr die ihn beherrschende und ausfüllende Wirklichkeit, daß es dem Menschen nicht eingefallen wäre, über Gott und sein Gebot zu rechten, wenn er nicht von außen her dazu veranlaßt worden wäre. Wohl schlummerten in ihm die Möglichkeiten, Gottes Autorität anzutasten. Aber solange diese nicht von außen her in Bewegung gesetzt wurden, blieb Gottes Autorität und sein Gebot unangefochten. Eine fremde Macht mußte über den Menschen kommen, auf daß die in ihm ruhenden, gefährlichen Möglichkeiten verwirklicht wurden" (Sperrung von mir).

Diese ‚gefährlichen Möglichkeiten' zeigt das Töten der Singvögel durch Parzival. Erst durch den von ‚außen' kommenden Rat werden sie ‚verwirklicht'. Die Ermordung Ithers ist eine Folge der Weltlehre Herzeloydes. Parzival ist, wie Adam im Paradiese, durch die Belehrung ein ‚Wissender' geworden.

Die eben zitierte Stelle der Dogmatik läßt erkennen, wo eigentlich der Ursprung jener oben besprochenen Bedeutung von *lere* und *rat* liegt. Die Seele des Menschen ist der Kampfplatz, in dem sich die göttliche Lenkung der Welt und die Versuche des Teufels, Gottes Wirken zu durchkreuzen, begegnen. Auch dem von Anfang bis Ende beharrlich für das Gute, für Gott entschiedenen Menschen bleiben diese Versuche nicht erspart: die Erbsünde beherrscht ihn. Nach dem Ausritt, d. h. in der Lebenswirklichkeit, ist Parzival in diesem Zustande: Hunger und Liebesbegehren, Kampfeslust und der Wunsch nach Rittertum sind ‚an sich' berechtigte Verlangen – sie werden zur Sünde, wenn sie rein triebhaft betätigt werden. Ein ‚An-sich' gibt es nur innerhalb von Soltane, im rein mythischen Raume des paradiesischen Seins. In der Lebenswirklichkeit ist der ‚bloße' Trieb der ‚ungeordnete', weil nicht durch den Geist gelenkte, und daher der böse.[7]

[6] Kath. Dogmatik 2, 1949, 391.

[7] „Das Wesen der Konkupiszenz ist die sinnliche Triebregung auf das ihr entsprechende

Die Motivation der Geschehnisse in Soltane ist also heilsgeschichtlicher Art. Wir sehen Parzival nacheinander in drei verschiedenen Zuständen: 1. in der ursprünglichen geschöpflichen Einheit mit Gott, in der der Mensch zwar die Möglichkeit, aber noch nicht den Zwang zu falschem Tun hat; 2. in der durch den ‚Sündenfall', d. h. durch den Rat eingetretenen Geschiedenheit von Gott; 3. nach dem Ausritt in der a k t u a l i s i e r t e n Geschiedenheit von Gott, in der erbsündigen Lebensrealität ohne irgendein Wissen um ein zukünftig mögliches Heil. Er ist ein ‚Heide': er hat *wilden muot* (concupiscentia), er ist *tump* (ignorantia). Die Vorgänge in Soltane begründen, daß Parzival ein Mensch sei, *der sünde hat*. Sie begründen es nach dem Urbilde des christlichen Mythus vom Sündenfall im Paradiese.

Mit der biblischen Erzählung hat Wolframs Dichtung auch episch manches gemein:[8] das Dasein abseits von aller ‚Welt', Blumen und Vogelsang, volle Harmonie zwischen Mensch und Natur. Der Jagdeifer des Knaben stört diese Harmonie ebenso wenig wie der einmalige Kummer um den Tod der Singvögel. Wir müssen bedenken, daß der Paradiesesfriede hier ganz von der höfischen Welt her stilisiert ist. Blumen und Vogelsang sind Topoi des Minnesanges: die wunschlos-heitere Maienwelt der Minnelyrik erschien als passendes Bild für den Gottesfrieden der reinen Geschöpflichkeit. Parzival hat alle Kennzeichen eines hochgeborenen, ritterlich-königlichen Wesens, er ist stark und schön. Aber diese geschöpflichen Anlagen können sich nicht entfalten, da in Soltane alles wirkliche Leben fehlt: Herzeloyde erzieht den Knaben nicht in den Tugenden des Rittertums, es gibt kein höfisches Gepränge, keine Burg, keine Ritter, kein Turnier, kein Minnespiel. Man erfährt nicht einmal, ob Herzeloyde in einem Hause oder einem Zelt lebt, ob Frauen um sie sind. Nur von Ackersleuten ist einmal die Rede. Die viel anschaulichere, gegenständlichere Erzählung Chrétiens, die ein wirkliches Lebensbild gibt, ist hier verkürzt und entwirklicht.[9] Chrétien beschreibt ein Dasein, das sich für eine Weile aus dem Ritterleben zurückgezogen hat; bei Wolfram ist diese Tendenz so weit verstärkt, daß der Leser keine Möglichkeit mehr hat, sich eine bestimmte reale Lebensform vorzustellen. Das geht bis in die Darstellung der Personen selbst, die weitgehend zu Figuren werden, wie wir gesehen haben. Das Dasein in Soltane ist nicht nur ein Leben in der Ab-

Gut hin ohne Gehorsam gegen die vom Geist als verbindlich erkannte Ordnung, durch die der sinnliche Wert erst zu einem allseitig wahren Werte wird", KÖSTER, a. a. O. 68.

[8] Doch glaube ich nicht, daß die Bibelgeschichte literarisch vorbildlich gewesen ist. Wenn W. hier einer Quelle folgte, die, abweichend von Chrétien, die heilsgeschichtliche Thematik enthielt, – was ich für sehr wahrscheinlich halte –, so dürfte diese im Umkreis der Legende zu finden sein.

[9] Dazu Verf., Horizontale und vertikale Struktur bei Chrétien und Wolfram, WW 9, 1959, 321ff.

geschiedenheit vom Treiben der Welt: es ist überhaupt kein wirkliches Leben. Die Entwirklichung ist völlig vollzogen. Der Sinnbezug des Erzählten weist hin auf ein Dasein, das vor allem wirklichen Leben liegt, das aller Lebensrealität vorangeht, wobei es diese zwar bestimmt, aber nicht schon selbst ‚Leben' ist. Das Leben beginnt erst mit dem Ausritt, der typologisch der Vertreibung aus dem Paradiese entspricht. Wir sehen Herzeloyde in der Rolle der Eva; sie läßt die Vögel töten und bricht damit Gottes *gebot*! Durch sie wird Parzivals Frage nach Gott veranlaßt. In gleichem Sinne wirken ihre Weltlehre und die Rede der Ritter von Artus. Der Paradiesesfriede wird gestört durch das, was von außen kommt. Nach alledem müssen wir die ‚Jugendlichkeit' Parzivals nach dem Ausritt (wiederum in radikalem Gegensatz zu Chrétiens Erzählung) als Darstellung eines heilsgeschichtlich gemeinten Zustandes auffassen: der jugendliche Mensch ist in dem gleichen Zustand, in dem die Menschheit nach der Vertreibung aus dem Paradiese war. Jung sein bedeutet hier also nicht die reale Daseinsweise eines jungen Menschen in typischer Stilisierung, sondern eine Seinsverfassung, die ihre Ursache im Sündenfall hat und daher in ihren einzelnen Distinktionen dem religiösen Begriff des Heiden entsprechen muß. Die Heiden haben nur noch einen dunklen Begriff von Gott, sie sind *tump*, sie leben allein aus ihren Trieben heraus – sie sind *wilde*. Jeder Mensch kommt als ein solcher Heide auf die Welt, auch der von christlichen Eltern geborene (Wolfram hat diesen Gedanken bekanntlich im Willehalm besonders hervorgehoben, vgl. Wh. 307, 1–30), und eben dies will der Text anschaulich machen. Die ‚Jugendlichkeit' ist also hier nicht eine noch unentwickelte, unentfaltete Substanz, in der wie in einem Samenkorn alle später realisierten Formen schlummern; das ist neuzeitliche Vorstellung und müßte sich episch als ein allmählicher, kontinuierlicher Prozeß des Wachstums ausdrücken. Aber gerade daran fehlt es, wie wir gesehen haben, völlig. Das Nacheinander der epischen Handlung reiht nur die jeweiligen Verwirklichungen der einzelnen Positionen der in Soltane empfangenen Lehren aneinander – ein Verfahren, das in der Lebenswirklichkeit keine Entsprechung hat und haben kann. Der Text geht vielmehr auf die Grundvorstellung zurück, daß dem Menschenleben ein Zerfallsprozeß vorangegangen sei, in dem dessen göttliche Vollkommenheit zerbrochen ist, wodurch er nun in die ‚Zeit' gestellt wird, die zugleich Strafe und Gelegenheit zur Wieder-Erbauung des Zerbrochenen ist, Todesverhängnis und Heilsmöglichkeit. Der junge Parzival steht am Anfang seiner ‚Zeit' mit der Aufgabe, sie zu ‚nutzen'. Seine jugendliche *tumpheit* und Wildheit meint den Zustand, in dem er wie jedermann an diesem Anfange ist. Die epischen Vorgänge veranschaulichen diesen Zustand.

In einer Predigt zu Palmarum heißt es über Eselin und Fohlen beim Einzug in Jerusalem (Spec. eccl. ed. Mellbourn 47, 4ff.): *Div eselinne, div da gebvnden stvont, bezaichent die jvden, die da verdrvcket waren mit der alten herten e vnde gebvnden mit den sailen der hovbethaftigen svnde. Daz ivnge eselli, da niemen vf gesezzen was, bezaichent die haiden, die verlazliche lebeten an e.*

Diese typologische Auslegung der biblischen Erzählung gibt uns den Hinweis für das rechte Verständnis unseres Textes. Der junge Parzival lebt *an e*, ‚gesetzlos', und dieses sein Verhalten wird vom Augenblick des Ausrittes an bis zur Belehrung durch Gurnemanz immer wieder demonstriert. Die erzählten Begebenheiten haben ‚bezeichnenden' Sinn.[10]

[10] Der erste Satz des Zitats soll schon hier als Beleg für die Interpretation des Zustandes Parzivals nach der Belehrung durch Gurnemanz vorgemerkt werden (s. u. S. 80).

5. Der Widerspruch von Lehre und Handeln Herzeloydes

Die bisherige Analyse hat aus dem Geschehen in Soltane absichtlich nur diejenigen Züge erfaßt, die mit der Gottes- und Weltlehre Herzeloydes zu tun haben. Sie wendet sich nun denjenigen Teilen der Erzählung zu, die, wie wir oben S. 16ff. feststellten, zu der Lehre in so auffälligem und unerklärlichem Gegensatz stehen, und versucht, den Sinn dieses Gegensatzes zu ergründen.

Haben wir Parzival bisher als den ‚gehorsamen' Sohn, den willigen und gelehrigen Schüler seiner Lehrmeister kennen gelernt, so sehen wir ihn nun als das ‚ungehorsame' Kind, das dem Willen der Mutter entgegenhandelt. Das Verhältnis von Mutter und Sohn ist nun das gerade Gegenteil: war Herzeloyde die auf das Leben Hinweisende und Vorbereitende, so ist sie jetzt die alles ‚Leben' von ihrem Knaben sorgsam fernhaltende, besorgte Mutter, deren einziges Ziel es ist, den Sohn vor dem Tode zu bewahren. Dem widersetzt sich der Sohn, der Lehre der Mutter folgend. Die antithetische Doppelmotivik, von der das Handeln (und das heißt: das ganze Leben) des Sohnes bestimmt ist, hat ihren Ursprung in der Mutter. Der spätere Text verurteilt auf bestimmter Stufe den mütterlichen Rat (170, 10ff.; Gotteslehre: 461, 27ff.); Welt- und Gotteslehre bedürfen der Korrektur. Das Handeln Herzeloydes aber scheitert schon ganz am Anfang: sie kann den Sohn in Soltane nicht festhalten. Dennoch wirkt ihr Wesen, ihr Sein, aus dem ihr Handeln fließt, fort und begleitet den Lebensweg des Sohnes: mit dem *herzen* bleibt er ihr verbunden (173, 9f.). In dem gleichen Augenblick, da Parzival dem Rate der Mutter nicht mehr folgt, sondern dem des Gurnemanz, erinnert der Text an das Gegenmotiv.

Die Wesensart Herzeloydes, aus der ihre Handlungsweise folgt, ist ganz und gar vom Todesmotiv bestimmt. Furcht vor dem Tode und das Bemühen, seiner Macht entgegenzuwirken, durchziehen den ganzen Text. Der Schrecken des Todes läßt sie ohnmächtig werden (109, 16ff.; 112, 21; 126, 2). Parzivals Ausritt kostet sie das Leben. Fast wäre sie bei seiner Geburt gestorben (112, 7ff.). Sie ‚strebt mit dem Tode', als das Kind in ihrem Leibe ist (109, 6). Vor der Geburt hat sie einen vordeutenden Traum (104, 10ff.):

> sie duhte wunderlicher site,
> wie sie waere eins wurmes amme,
> der sit zerfuorte ir wamme,
> und wie ein trache ir brüste süge
> und daz der gahs von ir flüge,
> so daz sin nimmer mer gesach.

Der *trache* ist Parzival, der sie verläßt (476, 27ff.). *wie hat der tot ze mir getan,* so klagt sie über den Verlust Gahmurets (110, 4); wenn das Kind stürbe, so wäre das Gahmurets *ander tot* (110, 18). Parzivals Name deutet auf den Kummer hin, den ihr der Tod Gahmurets verursachte (140, 16ff.):

> ‚deiswar du heizest Parzival.
> der nam ist rehte enmitten durch.
> groz liebe ier solch herzen furch
> mit diner muoter triuwe:
> din vater liez ir riuwe.‘

Dieses Verhalten gegenüber dem Kampftod eines Ritters erscheint inmitten höfischen Lebens recht ungewöhnlich. In der üblichen Totenklage, besonders der Frauen, beim Tode eines ritterlichen Helden überwiegt doch immer der Preis der ritterlichen Taten die Klage um den Tod.[1] Von solchem Preis ist in dem ganzen Text an keiner Stelle die Rede. Herzeloyde gebärdet sich, als sei mit Gahmuret das ganze Rittertum dahingegangen: ihr Leben ist damit zu Ende, sie geht in die Waldeinsamkeit und nimmt den Sohn mit in der Absicht, ihn von allem Rittertum für immer fern zu halten. Wir bemerken die gleiche Tendenz zur Entwirklichung, die wir schon bei der Analyse des Gegenmotivs feststellen mußten. Herzeloyde verhält sich nicht wie eine höfische Dame; die Antriebe ihres Tuns müssen an anderer Stelle zu suchen sein.

Diese Stelle ist im Text deutlich bezeichnet. Am Anfang des III. Buches wird Herzeloyde einer Eremitin verglichen, die *durch des himiles ruom* das Weltleben verlassen hat (116, 24). Vorher, am Schluß des II. Buches, steht unvermittelt das Bild der Gottesmutter sinngebend neben der Szene, da Herzeloyde ihr Kind im Arme hat (113, 18ff.):

> ‚diu hoehste küneginne
> Jesus ir brüste bot,
> der sit durch uns vil scharpfen tot
> ame kriuze mennischliche enphienc ...‘

Das Todesmotiv ist hier an den Tod des Erlösers angeschlossen. Durch eine Reihe von weiteren Anspielungen (vgl. Textanalyse) wird Herzeloyde in eine eigentümlich sakrale Sphäre gehoben und der Maria mit dem Gottessohne nahegerückt. Solche Vergleiche dienen nicht, wie man meinen könnte, der Kennzeichnung irgend eines realen Daseins der Weltflucht, etwa des

[1] Es gibt genug Stellen im Pz. und im Wh., die beweisen, daß Wolfram über den Tod eines Ritters und das Verhalten der höfischen Gesellschaft ebenso denkt wie die anderen höfischen Dichter auch. So beklagt die Hofgesellschaft den durch Parzival getöteten Ither in der üblichen Weise (310, 26ff.); sie verzeiht dem ‚Mörder‘.

einer Eremitin. Denn alles, was der Text über das Leben in Soltane aussagt, steht dem doch völlig entgegen. Herzeloyde ist keine Sigune. Die einleitende Beschreibung eremitären Daseins hat nur mittelbare, d. h. sinngebende Bedeutung. Soltane ist ein ganz irrealer Raum, nicht irgend ein Ort der Weltflucht, wie sie das Mittelalter kannte. Wolframs Absicht ist offenbar, Herzeloyde und ihren Sohn in dichterischer Fiktion in einen Sakralraum zu versetzen, der seine Sinngebung vom Bilde der Gottesmutter her erhält, die den Jesusknaben, der dereinst den Kreuzestod erleiden muß, im Arme hält. Herzeloyde ‚wird' zur Maria, der Mutter des Herrn.

Deutlich genug zeichnen sich die marianischen Züge ab. Die Verse 113, 15ff.:

> si kert sich niht an losheit
> diemuot was ir bereit

weisen in die Nähe der Marienklage. Die Demut gehört zu den besonderen Eigenschaften der Maria.[2] Eindringlich tritt der marianische Zug in den schon erwähnten Eingangsversen des III. Buches hervor. In Wernhers Marienleben werden Maria, Anna, Joachim und Joseph als „Vorbilder mönchischen Lebenswandels und gottergebener Frömmigkeit gezeichnet ... Daß Maria alle Redseligkeit (1511–15) und allen menschlichen Umgang vermied (3180–3185), sind Züge aus dem Leben einer Recluse".[3] Die Witwenschaft steht der Jungfräulichkeit an religiöser Verdienstlichkeit kaum nach.[4] Herzeloyde ist in Soltane die jungfräuliche Witwe. Das Bild des durchfurchten Herzens, das Sigune zur Erklärung des Namens Parzivals benutzt, stammt aus der Mariologie.[5] Die Stelle 128, 25 *owol sie daz se ie muoter wart!* entspricht fast wörtlich einem Passus der Marienlyrik: *so wol dich des kindes!* (Mariensequenz aus Muri);[6] Walthers Leich 45f.:

> wol ir daz si den ie getruoc,
> der unsern tot ze tode sluoc!

[2] Vgl. SALZER, Die Sinnbilder und Beiworte Mariens ..., Linz 1886, 345. – Pz. 113, 2 *daz sin vil dicke kuste* entspricht Wernhers Marienleben CAD 4159 *daz kint si diche kuste*; dazu FROMM 174.

[3] FROMM 55f.

[4] Hild. v. Bingen, a. a. O. 104: „So mögen sie denn hören, die dem Sohne Gottes zu folgen verlangen in der Unschuld freiwilliger Enthaltsamkeit oder in der Zurückgezogenheit der Witwentrauer: Edler ist die Jungfrauschaft, die nie befleckt ward, als das Wittum, das des Mannes Joch getragen hat, doch folgt die Witwenschaft nach dem schmerzlichen Verlust des Mannes der Jungfräulichkeit". – Spec. eccl. (Mellbourn 98, 6f.: *Div dritte chusce ist genamet witewen kusce.* – H. KOLBS Begründung (Beitr. 78, Tübingen 1956, 81f.) scheint mir abwegig.

[5] Vgl. SALZER a. a. O. 3ff.

[6] WAAG, Kleinere deutsche Gedichte des XI. und XII. Jahrhunderts, 1916, 179.

Die Formeln 128, 27ff. klingen an Benennungen der Maria an.[7]
Immer wieder ist Maria die dem Tode Wehrende, die vor dem Tode Bewahrende (s. gleich unten).

Es kann kaum ein Zweifel daran sein, daß Herzeloyde in ihrer Handlungsweise, d. h. als die Mutter, die den Knaben vor dem Tode bewahren will, in der Dichtung funktional der Gestalt der Gottesmutter entspricht. Die den Text begleitenden Anspielungen und Bilder kennzeichnen die eigentliche Wirklichkeit des dichterischen Geschehens. Herzeloyde ist nicht nur wie Maria, sondern sie ‚ist' Maria. Dieses ihr Sein ist dichterisch-fiktiver Art. Wolfram hat auch hier die lebensnahe Figur der *veve dame* seiner Vorlage entrealisiert und sie in eine andere Wirklichkeit gehoben.

Damit wird deutlich, wie wir den Gegensatz der lehrenden und der handelnden Mutter verstehen müssen: es ist der alte Gegensatz von Eva und Maria, der in der theologischen Lehre und besonders auch in den volkstümlichen Darstellungen der Heilsgeschichte des Mittelalters eine so große Rolle spielt. Herzeloyde ist beides, sie ist Eva und Maria zugleich.

Die Frage, was dieses ‚ist' bedeutet, soll uns später noch ausführlich beschäftigen (s. u. S. 79ff.). Hier nur soviel: es handelt sich um eine allegorische Darstellungsweise, d. h. um eine Analogie, die so umgreifend ist, daß sie die Handlungsmotive des Urbildes voll und mit aller Konsequenz übernimmt. Herzeloyde ist nicht nur ‚gleichsam' die Eva-Maria, sondern funktional ist sie es wirklich. Der dargestellte Vorgang vollzieht sich in der ‚Teilhabe' an den Grundmotiven des religiösen Sinnbildes. Die ‚Welt' der Erzählung ist das höfische Rittertum, aber die die Handlung bewegenden Momente sind nicht dieser ‚Welt' zugehörig. Sie entstammen auch nicht, wie man gemeint hat, einer spezifisch religiös intendierten Daseinsform, wie etwa der des Heiligen, des Eremiten, des Mönchtums, wie sie für Sigune und Trevrizent bestimmend ist. Sigune ist eine Inclusa, Trevrizent ist ein Eremit. Das ‚ist' bezeichnet hier eine real existierende Seinsweise in dichterischer Überhöhung. Die Eva-Maria-Typik ist aber eine der Heilsgeschichte zugehörige Formel, in der sich unter dem Vorbild der Dialektik Adam-Christus der ganze für den Menschen so bedeutungsvolle Komplex von Sündenfall und Erlösung ausdrückt. Herzeloyde und Parzival sind rein dichterisch-fiktive Gestalten, sie sind in der Tat ‚Figuren', die so agieren, wie es das heilsgeschichtliche Urbild, das sie figurieren, vorschreibt. Das mag dem heutigen Betrachter, wenn er sich nicht von der ihm innewohnenden Vorstellung über das, was Dichtung sei, lösen kann, wie ein Spiel „unlebendiger Mas-

[7] Vgl. SALZER a. a. O. 301ff. – Zahlreich sind dort und auch 568ff. Formeln wie: *radiosa caritas, ein ursprinc aller güete, der güete ein brunne, der güete ougenweide* u. ä. verzeichnet.

ken"[8] vorkommen. Für die Menschen des hohen Mittelalters aber war, wie die Belege w. u. beweisen dürften, die Dialektik der Heilsgestalten eine höchst lebendige und vertraute Grundfigur. In Kreisen katholischer Konfession ist sie das bis heute geblieben. Menschliches Dasein wird verstanden im Rückgang auf das ewig gültige Heilsgeschehen. Jenes ‚ist' meint ein Sein, das nicht eine abgeleitete, real verwirklichte Form der ‚Nachfolge Christi' ist, sondern diese Nachfolge selbst.[9]

Das epische Geschehen in Soltane geht also auf ein Urbild zurück, das das mittelalterliche Schrifttum immer wieder in breiter Anschaulichkeit und eingehender Argumentation vorgebracht hat. Die Frage: was war vor aller ‚Zeit'? ist geradezu das ‚Existenzproblem' (nach heutigem Sprachgebrauch) der Menschen gewesen. Es ist die alte Frage nach den Gründen dessen, was ist; sie mußte im mittelalterlichen Denken als die Frage nach dem, was *beim aneginne* war, gestellt werden. Der Text der ‚Erlösung' (14. Jh.) beginnt mit den Worten (Bartsch 105f.):

> Hie vor, do sich die zit anvinc
> und die werelt aneginc ...

Das temporale ‚vor' muß prinzipiell verstanden werden: alles, was je ‚in der Zeit' geschieht, war schon vor aller Zeit im Vordenken Gottes, denn nichts kann geschehen ohne Gottes Willen. Daher spielt dieses V o r d e n k e n Gottes eine so große Rolle. Die ‚Zeit' erscheint darin zusammengezogen in den ewigen Augenblick. Was sich, nachdem die ‚Zeit' begonnen hat, ereignen wird, war vor aller Zeit schon immer da. Das bedeutet: in der Eva war schon die Maria, in Adam schon Christus. Gottes Allmacht und Allwissen vereint sie und weist ihnen, bevor irgend etwas in der ‚Zeit' geschieht, schon die Rolle zu, die sie danach zu spielen haben werden. Daß Maria die ‚andere' Eva ist und Christus der ‚andere' Adam, war vor allem *aneginne* Gottes Entschluß. Die theologische Lehre hat dies dadurch sinnfällig zu machen versucht, daß sie die antithetischen Heilsfiguren mit einer Fülle von Eigenschaftsparallelen ausstattete: wie Eva eine Jungfrau war, so auch Maria, wie die Sünde ‚vom Holze' (des Baumes) kam, so auch das Heil (vom Kreuzes-

[8] H. Rosenfeld, DLZ 75, 1954, 757–762.

[9] Unter den zahlreichen Versuchen, die Wesensart Herzeloydes zu erfassen, finde ich nur einen einzigen, der, wie ich meine, der Intention der Dichtung nahekommt: Ursula Heise, Frauengestalten im Parzival Walframs von Eschenbach, DU 9, 1957, 2, 57f. nennt Herzeloydes Gotteslehre einen „Ansatz"; sie bemerkt auch deren Doppelrolle: „Hier (Belehrung über Lähelin) tut Herzeloyde selbst das Gegenteil von dem, was sie mit den Narrenkleidern erreichen wollte ... Hier wird Herzeloyde wieder Königin ... Nebeneinander stehen hier die Gegensätze d e r Liebe, die den andern Menschen halten möchte, und d e r Liebe, die verzichtend den andern Menschen in seinem Eigensein sieht und bestärkt".

holz) u. v. a. Antithese und Parallelismus haben zu der Lehre von der Rekapitulation geführt, die vielen mittelalterlichen Darstellungen des Heilsvorganges zugrunde liegt.

Die Dialektik von Eva und Maria ist frühchristlichen Ursprungs. Als ihr Initiator gilt Justin (etwa 100–165). In seinem Dialog mit dem Juden Tryphon heißt es:[10]

„... Andererseits wissen wir, daß er (Christus) durch die Jungfrau Mensch geworden ist, damit auf dem gleichen Wege, auf welchem die von der Schlange verursachte Sünde ihren Anfang nahm, die Sünde auch aufgehoben werde. Denn Eva, welche eine unverdorbene Jungfrau war, gebar, nachdem sie das Wort der Schlange empfangen hat, Sünde und Tod. Die Jungfrau Maria dagegen war voll Glauben und Freude, als der Engel Gabriel ihr die frohe Botschaft brachte, der Geist des Herrn werde über sie kommen, und die Kraft des Höchsten sie überschatten, weshalb auch das Heilige, das aus ihr geboren werde, Sohn Gottes sei ..."

Aus diesem Gegensatz und Parallelismus hat dann Irenäus die Lehre von der Rekapitulation entwickelt. In seinem Hauptwerk gegen die Häresien (III, 21, 10) heißt es:[11]

„Und wie jener Adam, das erste Geschöpf aus der unbebauten und noch jungfräulichen Erde – denn noch hatte Gott nicht regnen lassen und noch hatte kein Mensch die Erde bebaut – seine Wesenheit erhielt und durch die Hand Gottes, das heißt durch das Wort Gottes – denn alles ist durch dies gemacht worden – gebildet wurde, und wie der Herr Schlamm von der Erde nahm und den Menschen bildete, so nahm das personenhafte Wort, in sich den Adam rekapitulierend, geziemenderweise aus Maria, die noch Jungfrau war, seinen Ursprung zur Rekapitulierung Adams ... Warum nahm Gott aber nicht wiederum den Schlamm, sondern vollzog aus Maria seine Gestaltung? Damit dasselbe Geschöpf gebildet werde, welches gerettet werden sollte, und in der Rekapitulierung die volle Ähnlichkeit gewahrt werde". – „Demgemäß wird auch die Jungfrau Maria gehorsam erfunden, indem sie spricht: ‚Siehe, ich bin deine Magd, o Herr, es geschehe mir nach deinem Worte'. Eva aber, die ungehorsame, gehorchte nicht, als sie noch Jungfrau war. Wie jene den Adam zum Manne hatte, dennoch aber Jungfrau war ... und durch ihren Ungehorsam für sich und das ganze Menschengeschlecht den Tod verschuldet hat: so hatte auch Maria ihren vorbestimmten Mann und war dennoch Jungfrau und wurde durch ihren Gehorsam für sich und das gesamte Menschengeschlecht die Ursache des Heils. Deshalb nennt das Gesetz sie, die mit einem Manne verlobt war, die Gemahlin des mit ihr Verlobten, und bezeichnet damit den Kreislauf von Maria zu Eva, weil nur dadurch das Gebundene gelöst werde, daß die Bänder der Knoten zurück-

[10] Dial. cum Tryphone, c. 100, MPG 6, 700 sq. Ich zitiere hier und im Folgenden nach der Übersetzung von M. Schmaus, Mariologie, Kath. Dogmatik 5 (1955), 86ff. – Vgl. auch E. Druwé, SJ., La médiation universelle de Marie, in: Maria, Études sur la seinte vierge, Tom. 1, Paris 1949, 461ff.

[11] Contra omnes haereticos, ed. Stieren, Lipsiae 1853.

geschlungen wurden. So werden die ersten Knoten durch die zweiten gelöst, und die zweiten befreien die ersten ... was die Jungfrau Eva durch ihren Unglauben angebunden hatte, das löste die Jungfrau Maria durch ihren Glauben". – „So wurde auch der Herr nicht ein neues Geschöpf, sondern bewahrte die geschöpfliche Zusammengehörigkeit mit eben jener, welche von Adams Geschlecht war. Denn es war notwendig und billig, daß bei der Wiederherstellung Adams in Christus das Sterbliche vom Unsterblichen verschlungen werde und in ihm aufgenommen werde, und die Eva von Maria, auf daß die Jungfrau die Fürsprecherin der Jungfrau und den jungfräulichen Ungehorsam entkräfte und aufhebe durch den jungfräulichen Gehorsam".

Bei Tertullian heißt es:[12]

„In virginem enim adhuc Evam irrepserat verbum aedificatorium mortis; in virginem aeque introducendum erat Dei verbum extructorium vitae: ut quod per eiusmodi sexum abierat in perditionem, per eundem sexum redigeretur in salutem".

Seit dem 4. Jh. wurde Maria ‚nova virgo' oder ‚Neue Eva' genannt entsprechend der Bezeichnung Christi als ‚Neuer Adam'. Bei dem lat. Dichter Sedulius (5. Jh.) lesen wir:[13]

Sic Evae de stirpe sacra veniente Maria,
Virginis antiquae facinus nova virgo piaret.

Die zweite Strophe des Ave maris stella (7.–8. Jh.) lautet:

Sumens illud Ave
Gabrielis ore,
Funda nos in pace
Mutans Evae nomen.

Die Umkehrung des Wortes Eva ergibt Ave.[14] Auch Augustin kennt diesen Wechselbezug.[15] Es handelt sich also um eine weitverbreitete, volkstümlich gewordene Vorstellung, die auch der mhd. geistlichen Literatur und Dichtung geläufig war. Dafür einige Belege:[16]

Mariensequenz aus St. Lambrecht (Waag) 22ff.: *Du bist ein stamme des lebens daz Eva in dem paradyse verlos.*
Melker Marienlied (um 1140) (Waag) 76ff.: *du besuontest den Even val, sancta Maria. Eva braht uns zwiscen tot: der eine ie noch richsenot. Du bist das ander wib, diu uns brahte den lib.* Marienlied aus Muri (Waag) 16: *frouwe, du hast versuonit daz Eva zirstorte.*
Priester Wernhers Maria (Wesle, Hs. A) 7ff.: *daz ich nu muozze schreiben von*

[12] De carne Christi 17. MPL 2, 782 (Sp. 827 C / 828 A).
[13] MPL 19, 596.
[14] Vgl. Der saelden hort, hrsg. v. ADRIAN, Berlin 1927, Dt. Texte des Ma. XXVI, 601ff.
[15] PH. FRIEDRICH, Die Mariologie des hl. Augustinus, Köln 1907.
[16] Siehe auch die zahlreichen Belege bei SALZER, a. a. O. 476–487.

ir div allen weiben die itewiz hat benomen, daz der tot waz bechomen uon dem ersten wibe in die welt; – 19ff.: *wie wol siz allez vndervienk swaz svnden Eva begienk!* – 27ff.: *vnde daz si uns weise zuo dem fronen paradeise, da fro Eva ovz geviel.* Dazu Hs. D 2558f.

Heinrichs Litanei (Massmann, Dt. Ged. d. 12. Jh. 1, 47f.) 325ff.

wande eua brahte den tot, dv kuniginne das leben
si den fluch, dv den segen,
si daz armote, dv den richtum,
si di scalcheit, dv den fritum.

Ähnlich im Anegenge 35, 80ff.:

Da wider wolt got sein haeil geben
Wider den fluoch den segen
wider die luge die warhaeit
der man gehiez die reichaeit
Diu enphie den ewigen tot
der man aber gehiez die chvmftigen not
Diu enphie daz ewige leben

und weiter 36, 9ff.:

daz het got wol geordent e
wie daz ir raeine lip
fvr daz schuldige wip
Im solte helfen bvzzen
eva giwan nie so grozze svzze
Mit dem gedingen fvr sich
daz si got wurde geleich
In engulte Maria
mit riwen vollechlichen da
Do si sach daz man ir sun vie
vnt do si zu dem chrivce gie
Do buzte si alle die trite
die du arme zu dem holze tete
. . .
Daz div maget raeine
icht buzte altersaeine
fvr das schuldige wip.

Walthers Leich 45ff.:

wol ir, daz sie den ie getruoc,
der unsern tot ze tode sluoc
mit sinem bluote er ab uns twuoc
den ungefuoc
den Even schulde uns brahte.

Adam – Christus:

Ezzo (Waag) 177f.: *daz was der ereste man, der sih in Adames sunden nie ne beval.* – ebenda 257f.: *von holze huob sih der tot, von holze gevil er, gote lop* (Holz des Paradiesbaumes – Kreuzesholz).
Hartmann, Vom Glauben (Massmann, Dt. Ged. 1, 11) 850ff.: *got irbarwete adame in zorn. Crist aber aleine der begunde unsih alle heile durh di sine gute.*
Heinrich v. Hesler, Ev. Nic. (Helm) 3320f.; 3514f.: *ze christes fuzen sich do bouc Adam vnde sanc vil lvte.*
Christus ist der verus Adam, der ‚Zweite Adam', *Adam der andir* (Summa Theol., Waag, 135).

Den ganzen Komplex der Rekapitulation handelt Heinrich v. Hesler in der langen theologischen Einleitung seiner Übertragung des Ev. Nicodemi ab.[17] Das Denkmal stammt vom Ende des 13. Jh. und ist gerade wegen seiner dem rationalen Zeitgeist Rechnung tragenden umständlichen Argumentation vorzüglich geeignet, uns einen Einblick in die Vorstellungs- und Denkweise des Mittelalters zu gewähren.[18] Gleich zu Beginn heißt es (1ff.):

> Do got der werlde began,
> und er geschuf den ersten man –
> ich sprich iz anderweide:
> got geschuf sie beide
> den edeln boum und den man
> . . .
> daz obez unde sinen smac,
> da (d)er tot inne lac,
> und den man der iz az
> Ja herre warumme tet er daz . . .?

Damit ist das Thema der Einleitung (1–300) gestellt: das göttliche Wunder: *Wer mac erkennen dinen sin?* (293). Gott schuf den Menschen und zugleich den Baum, der ihm den Tod bringt. Er schuf den Menschen *vellic* – und so ist er eigentlich selbst an der Schuld des Menschen schuldig (246ff.):

> Het ern geworht von stale
> oder von so vester messin,
> daz er gelich scherfen sin
> von crefte haben mohte,
> der im ze werne tohte
> dem listigen slangen,

17 Hrsg. v. K. Helm, a. a. O.

18 Vgl. dazu auch die über 1200 Verse lange Einleitung des anderen Werkes Hs. v. Hesler, der ‚Apokalipsis' (Helm, Dt. Texte d. Ma. VIII, 1907, 1–1272), die ganz ähnliche Gedanken in breiter Ausführlichkeit vorträgt.

er enwere niht gevangen
noch von rate gevallen
in des todes gallen
. . .
von du was sin schepphere,
so vil so ers geruchte
und selbe schulde da suchte,
an sinem valle schuldic.

Natürlich soll durch diese ‚Schuld' Gottes der Mensch nicht entschuldigt werden. Aber die Erbsünde erscheint doch hier unter ontologischer Beleuchtung als Schicksal des Menschen, das Gott selbst über ihn verhängt hat. Der Akzent liegt ganz auf dem ursprünglichen Ratschluß Gottes, nach dem alles verlaufen muß; der Teufel ist nur sein Werkzeug (92ff.):

do kam der ungetruwe gast (der Teufel)
und riet unwizzende den rat
gotes velliger hantgetat,
den got in sinem rate
vor gebuwet hate,
und also got das wolde
daz ez wesen solde

144ff.:

Das was ein vor vorborgen rat
daz got an einem rise
der vorbotenen spise,
do sich der mensche hete geschant
williclichen sich underwant
unser schulde losunge.
Der in da zu twunge
daz er uns hie erloste . . .

Sündenfall und Erlösung sind im Plane Gottes schon beisammen.[19] Das In- und Miteinander von beidem tritt besonders 3412ff. hervor:

Nu erst wird dir zu schanden,
daz du Adamen ie betruge;
doch enhastu in diner luge
betrogen niht die menscheit.
du hetes ir war vor geseit,
alein enwistestuz niht, beswich;
du spreche: ir werdet gote glich,
ob ir uch des vormezzet,
daz ir diz obez ezzet,

[19] Vgl. Anegenge 3, 4ff.

darane spreche du vil war,
al vristez sich vil manic iar.
Got wart wol Adame glich,
do er daz vleisch geschuf so rich,
daz von Adames sippe kam,
daz ez got sider an sich nam . . .

Der Rat des Teufels war also ‚an sich' richtig, doch zeigte sich das erst, als Christus erschienen war; unwissend sagte der Teufel die Wahrheit. Bei der Niederfahrt Christi zur Hölle ist Adam der erste, der erlöst wird. Er erkennt in Christus seinen Schöpfer:

3314: Ich sie die hand, die mich geschuf![20]

Adam und Christus sind im Vordenken Gottes und bei der Heilstat Christi zusammen, Christus ist aus Adams *sippe,* Gott wurde Adam *glich.* In den *Historien der alden e* heißt es 75ff.:[21]

Alda Adam, der wisheit hab,
Allen dingen namen gab.
Ouch zu der selben stunde
Adam wissagen begunde
Van der sintvlut, dennoch me
Van der kirchen der nuwen e
Und van Christo also vort,
Wen er hatte der wisheit hort.

Der weissagende Adam ist sicher keine biblische Gestalt. Der Gedanke, daß Adam ursprünglich in der Einheit mit Gott war (die Verführung durch Eva folgt erst der Weissagung), hat zu der Vorstellung geführt, daß er, wie Gott, schon wußte, daß Christus kommen würde. Die Ereignisse des Alten Testamentes, der *alden e,* weisen schon auf das Neue, die *niuwe e,* hin. Auch dieses Denkmal gehört erst der Zeit nach Wolfram an (es ist wahrscheinlich zwischen 1338 und 1345 entstanden). Aber der Gedanke, auf den es hier ankommt, ist uralt.

Zu einem poetischen Bilde wird die Beziehung Adam-Christus in Arnold Immesens ‚Sündenfall' 1322ff.:[22]

[20] Die Stelle ist dem Ev. Nic. entnommen: Ecce manus quae me fabricaverunt testificans omnibus . . . Ecce manus quae plasmaverunt me. Die Angabe Helms, Ausg. XXX, daß dafür der Desc. „keinen Anhalt bietet", ist also unrichtig. – Vgl. auch Egerer Fronleichnamsspiel (Milchsack) 7502.

[21] Hrsg. von Wilhelm Gerhard, Leipzig 1927.

[22] Hrsg. von O. Schönemann, Hannover 1855. Die Erzählung findet sich auch Urstende 125, 15 (Hahn) und Redentiner Osterspiel 339–362. Erwähnt ist sie in Sibyllen Weis-

Adam schickte seinen Sohn Seth zum Paradies zurück, damit er sich nach dem Öle der Barmherzigkeit erkundige, das ihm verheißen wurde. Seth darf ins Paradies hinein; er sieht dort eine Quelle, aus der die vier Flüsse gespeist werden, und dabei einen Baum mit verdorrten Ästen, darauf eine Schlange, die bis in die Hölle hinabreicht, schließlich ein weinendes Kind. Der Engel Cherubim belehrt ihn darüber (1460ff.):

> Dat kint, dar du hefst umme vraget,
> Scal noch van einer reinen maget
> Entfangen mynsliken figuren
> Boven den lop der naturen (‚auf übernatürliche Weise')
> Bi dussem kindeken kleine
> Scal de sulve maget alleine
> Wedder vinden de gnade
> De adam von der maget rade
> Vorlos in unhorsamicheiden,
> Dat se do beide misgededen.
> De missedat scal dat kint wedderopen.
> Wan de jare sint vorlopen,
> De de sint de tit der vulkomenheit,
> So scal de oli der barmherticheit
> Adamme werden, wur he denne is . . .

Er gibt ihm darauf drei Samen von dem Paradiesapfel, die soll er dem Adam, wenn er gestorben ist, unter die Zunge legen (1499ff.), daraus werden drei Bäume wachsen, die die Dreieinigkeit bedeuten.

Christus ist also schon im Paradiese als das Kind, das eines Tages geboren werden wird, um Adams Schuld zu sühnen. Der Schritt bis zu der Vorstellung, die der Soltaneerzählung zugrundeliegt, ist nicht mehr weit. Die Beispiele zeigen, wie tief der Rekapitulationsgedanke in das allgemeine Bewußtsein gedrungen war. Wo immer der Gedanke an das Schicksal des Menschengeschlechtes zum Thema wurde, da griff man zurück auf den Ansatz, der von Gott als dem Lenker aller Geschicke von Anfang an gemacht war. Auch das Anegenge behandelt den Rekapitulationsgedanken 28, 3–30, ausführlich. Das Wort recapitulatio erscheint dort 28, 80 als *wider vart.*

sagung (Mone I, 313–315) und Reinke Vos 4886–88. Sie gehört also schon dem 12. Jh. an. Vgl. auch Anegenge 21, 36ff.: als Adam hundert Jahre alt war,

> do gewan er das beste chint
> daz er e oder sint
> Je gewinnen moechte
> von des geslaechte
> wart der gotes svn giborn
> . . .
> er wart ein vil saeliger man
> Den hiezzen si sethin.

Im Grunde ist diese *wider vart* der Leitgedanke des ganzen Werkes, und man versteht daher, daß der Verfasser nicht die ganze Heilsgeschichte abgehandelt hat. Es kam ihm offenbar nicht darauf an, eine vollständige Heilslehre, eine Summa, zu schreiben, sondern dringliche Fragen der Laien nach dem Ursprung des Bösen und dem göttlichen Ratschluß über das menschliche Leben zu beantworten. Heinz Rupp weist mit Recht darauf hin, daß wir es hier mit einer vulgarisatio zu tun haben;[23] mir scheint, daß auch Auswahl und Begrenzung des Themas von solcher Absicht bestimmt sind. Eine zentrale Frage ist die nach der Praeszienz Gottes (Rupp 241ff.). Unter *vor bisehen* versteht der Verfasser nicht die Praedestination; der Ausdruck übersetzt vielmehr das lat. praescire, und die daran sich anschließende Erörterung behandelt die Paradoxie des gut geschaffenen aber dennoch falliblen Menschen. Um diese Paradoxie aufzulösen bedarf es einer breiten Darlegung über die göttlichen Vorgänge vor aller ‚Zeit': die im Gespräch der Töchter Gottes auftretenden Gegensätze zwischen *erbermde, warheit, wisheit, reht* heben sich danach in der ‚Zeit' auf. Dieses Geschehen in der ‚Zeit' hat Gott vorausgesehen: vor allem Anfang war schon alles, was geschehen würde, im Wissen und Willen Gottes vorhanden. Der Problemkreis des ‚Anegenge' hat thematisch und motivisch eine auffallende Ähnlichkeit mit dem der wolframschen Dichtung.

Die angeführten Belege beweisen, daß in volkstümlich geläufigen Formeln und vulgarisierenden schriftlichen und bildlichen[24] Darstellungen der Komplex von Sündenfall und Erlösung im Sinne der Rekapitulation weite Verbreitung gefunden hat. Das geistliche Schrifttum hat sich bemüht, dringliche Fragen der Laien nach dem Sinn des menschlichen Daseins für jedermann verständlich zu beantworten und Probleme, die Zweifel hervorriefen, auf-

[23] HEINZ RUPP, Deutsche religiöse Dichtungen des 11. und 12. Jhs., Freiburg 1958, 231–279, besonders 250ff. – Das methodisch Neue an Rupps Buch scheint mir sein von allen literatur- und geistesgeschichtlichen Klischees freier Aspekt auf die ganz reale Wirklichkeit des 12. Jhs. zu sein, durch den eine vorgängige Orientierung über die Art und Weise gewonnen wird, in der man die Denkmäler betrachten muß. Hinsichtlich des Anegenge hat SCHEIDWEILER viel Schaden angerichtet; R. rückt das Anstößigste zurecht.

[24] Vgl. dazu die Darstellung der Eva auf dem Relief der Bernwardstür des Hildesheimer Doms von 1015 (Sigrid Esche, Adam und Eva. Sündenfall und Erlösung. Lukasbücherei zur christlichen Ikonographie, Bd. VIII, Düsseldorf 1957, Abb. 36a und b). Die rekapitulative Parallele von Eva und Maria ist hier soweit durchgeführt, daß auch die Eva mit einem Kind (Kain) an der Brust dargestellt wird, nur durch die Türspalte von der Maria mit dem Jesuskind getrennt. Das ursprünglich nur für die Maria ikonographisch Typische wird also auch auf Eva übertragen, die hier als Urmutter des Menschengeschlechts erscheint. – Über Eva als „Urmensch" vgl. W. Staertz, Eva–Maria. Ein Beitrag zur Denk- und Sprechweise der altkirchlichen Christologie. Z. f. d. Neutestamentliche Wissenschaft u. d. Kunde d. Älteren Kirche, Bd. 33, 1934, 97ff., bes. 101–104.

zuwerfen und zu lösen. Wir haben es hier mit einem in theologischem Sinne zweitrangigen, abgeleiteten und vielfach um der Verständlichkeit und Anschaulichkeit willen von der strengen Lehre abweichenden Schrift- und Bildgut zu tun, mit dem man daher auch nicht so streng ins Gericht gegangen ist. Bestimmend war die volkstümlich erzieherische und belehrende Absicht, oft wohl auch der Versuch, rationalen Bedenken gegen die Paradoxa der christlichen Lehre entgegenzuwirken. Die ausführliche Beschäftigung gerade mit den Vorgängen vor aller ‚Zeit' und die Vernachlässigung der zukünftigen Dinge (des Jüngsten Gerichts usw.) beweisen, daß es den Verfassern nicht darauf ankam, eine vollständige Heilsgeschichte lehrhaft zu verkünden, sondern daß sie auf Probleme reagierten, die die Zeitgenossen beunruhigten und beschäftigten. Es ist pragmatische Literatur; sie ist kennzeichnend für die zeitgeschichtliche Lage in den oberen Kreisen der Laienwelt.

Zum Typus dieser Art Schriften gehört nun auch die Christenlehre Trevrizents in Wolframs IX. Buch. Sie ist ganz aufs Seelsorgerliche eingestellt, ihr Thema ist Sündenfall und Erlösung, sie wirft Fragen auf, die denen jener Schriften entsprechen, sie schweigt von der Endzeit und dem Jüngsten Gericht und, was das wichtigste ist: sie wird durchzogen und beherrscht vom Rekapitulationsgedanken. Wir werden das im Einzelnen verfolgen.

Zunächst: das IX. Buch interpretiert, so sahen wir (S. 50ff.), die Vorgänge in Soltane und die des von dort her bestimmten Weges Parzivals bis zu seiner Verfluchung durch Kundrie. Wir erhalten Aufklärung über den religiösen Sinn des vielfach so dunklen Geschehens; auf den epischen Zusammenhang bezogen: Parzival erfährt durch den Eremiten den eigentlichen Sinn dessen, was mit ihm und durch ihn geschehen ist. Daraus folgt: alle Erörterungen über den Inhalt des IX. Buches umfassen zugleich auch die Geschehnisse, die davor liegen. Wir sind bei unserer Analyse von diesen Geschehnissen ausgegangen und haben das IX. Buch nur in ganz allgemeinem Sinne zur Deutung herangezogen. Es ist also methodisch geboten, jetzt umgekehrt zu verfahren. Es ist zu prüfen, ob die erzielten Ergebnisse und Einsichten sich vom Gesamtaspekt auf die Christenlehre des IX. Buches her bestätigen.

Die Christenlehre umfaßt die Verse 462, 11 bis 467, 10. Einige Teile sind, da nur ermahnenden Inhalts, für unsere Frage bedeutungslos, so der ganze Schluß von 466, 7 an und 465, 11–18. Der Text enthält im übrigen folgendes:

1. eine Gotteslehre: Gott ist *ein triuwe* (462, 19), er ist *diu warheit* (462, 25), er ist der wahre *minnaere* (466, 1),
2. den Bericht von Luzifers Höllensturz, Adams und Evas Fall und Kains Brudermord als Ursachen der Erbsünde (463, 4–464, 22),
3. einen Hinweis auf Gottes Erlösungstat (464, 23–465, 10),

4. eine Erwähnung Platos und der Sibylle als heidnische Vorverkündiger der Erlösung (465, 19–30).

Die Gotteslehre entspricht der abaelardschen Trinitäts-Formel Macht-Weisheit-Güte. Trevrizent rühmt die *triuwe* Gottes gegenüber Parzivals Vorwurf, Gott habe ihm nicht geholfen. Es handelt sich also um die Behebung des Zweifels an Gottes Macht.

Der Bericht vom Höllensturz und Sündenfall beginnt gleich mit der Aufforderung: *nu prüevt,* und es folgt die Frage: wie konnten Luzifer und seine Genossen von Gott abfallen, wenn sie doch ohne Sünde waren?

ja her, wa namen si den nit,
da von ir endeloser strit
zer helle enpfahet suren lon?

Seltsamerweise bleibt diese Frage ohne Antwort. Man sollte doch erwarten, daß ein Lehrer, der seinen Schüler auffordert, seinen *sin* zu betätigen (461, 28) und alles zu prüfen, solche Fragen, die er selbst aufwirft, auch beantwortet. An späterer Stelle verfährt er anders: er erläutert dem zweifelnden Parzival den Sinn des Gleichnisses von der befleckten Erde (464, 1ff.). Die Frage nach der Herkunft des Bösen aber bleibt offen, auch fordert Parzival keine Antwort. – Man kann sich diese Ungereimtheit nur so erklären, daß Wolfram hier nicht etwa aus der Situation heraus gestaltet, sondern einem bestimmten Typus heilsgeschichtlicher Belehrung folgt – einem Typus, der die offene Frage nach dem Ursprung des Bösen und das Gleichnis von der befleckten Erde enthielt, der seiner ganzen Intention nach nicht informativer, sondern problematischer Art war. Dies letztere wird besonders deutlich; die Belehrung enthält zwar alle nötigen Heilstatsachen, aber doch in einer so gedrängten und auf die Dialektik von Sünde und Erlösung zugespitzten Form, daß sie auf Vorbilder solcher Art zurückgehen muß.

Das trifft nun aber auf den folgenden Bericht von der Erlösung in noch viel eindeutigerer Weise zu. Hier hören wir nichts von Christi Geburt, von seinem Leiden und Sterben, von seiner Auferstehung. Der epische Zusammenhang der Leidensgeschichte ist völlig aufgelöst zugunsten eines Berichts, der die Erlösung rein rekapitulativ auffaßt:

in der werlt doch niht so reines ist,
so diu magt an valschen list.
nu prüevt wie rein die meide sint:
got was selbe der meide kint.
von meiden sint zwei mennisch komn.
got selbe antlütze hat genomn
nach der ersten meide fruht:
daz was sinr hohen art ein zuht.

Von Adames künne
huop sich riwe und wunne,
sit er uns sippe lougent niht,
den ieslich engel ob im siht,
unt daz diu sippe ist sünden wagen,
so daz wir sünde müezen tragen.

Die Stelle schließt an das Gleichnis von der Erde als *magt* an. Beide, Adam und Christus, sind von einer Magd geboren, Christus ist also aus Adams Geschlecht, aus dem daher der Sündenschmerz und die Erlösungsfreude zugleich kommen. Wieder heißt es: *nu prüevt*, was man etwa mit: ‚nun bedenkt den Zusammenhang' übersetzen kann. Es kommt der Lehre also auf ideelle Stimmigkeit, auf gedankliche Geschlossenheit, nicht auf episch-didaktische Breite und anschauliche Deutlichkeit an.

Gerade diese gedankliche Geschlossenheit ist das Ziel zahlreicher geistlicher Denkmäler der oben herangezogenen Art. Wolframs Frage nach der Ursache des *nides* treffen wir dort als ein viel behandeltes Problem wieder an. Das Gleichnis von der befleckten Erde findet sich im gleichen Zusammenhang wie bei Wolfram. Offenbar sind überall dort, wo die Heilsgeschichte problematisch-rekapitulativ behandelt worden ist, die gleichen Motive wirksam gewesen. Zu diesen gehört auch das Thema der Vorverkündigung durch Heiden und Juden. Wir haben es mit einer Motivgruppe zu tun, die im gleichen gedanklichen Zusammenhang immer wieder auftaucht.[25]

[25] Zum ersten Male hat H. MEYER Jr. aufgezeigt, daß die Verse 464, 27ff. „eine explizite Darlegung der Rekapitulationslehre" enthalten (Zum Religionsgespräch im neunten Buch des Parzival, Neoph. 31, 1947, 18ff.) M. vergleicht das IX. Buch mit dem Sentenzenbuch des Petrus Lombardus (s. EHRISMANN) und kommt zu dem Ergebnis, „daß alle Abweichungen, dogmatisch betrachtet, die gemeinsame Tendenz haben, die Rekapitulation stärker zu akzentuieren" (24). – Das Gleichnis von der befleckten Erde steht schon bei Irenäus in engstem Zusammenhang mit der Rekapitulation (s. die Belege oben S. 63); ebenso bei Tertullian, De carne Christi, MPL 2, 782: „Virgo erat adhuc terra nondum opere compressa, nondum sementi subacta: ex ea factum accepimus a Deo in animam vivam. Igitur si primus Adam de terra traditur, merito sequens, vel novissimus Adam, ut Apostolus dixit, proinde de terra, id est, carne nondum generationi resignata, in spiritum vivificantem a Deo est prolatus". – Über seine Verbreitung in der mhd. Dichtung s. REINHOLD KÖHLER, Germ. 7, 1862, 476–480. Wolfram kann es aus Anegenge 20, 21ff. oder aus der Kaiserchronik 9556 ff. entlehnt haben, wo es im Disput Sylvesters mit den Juden in der gleichen Anordnung wie im Pz. steht. Zweifelnd fragt Benjamin 9563ff.: *‚waz mach dirre rede gelich sin, daz Adam von einer magede geboren waere? diu rede ist der luge gelich und ist seltsaene'. Do sprach der hailige man: ‚ich wil dir aine groze warheit der von sagen . . .'* Dazu Pz. 464, 1ff.: *‚herre, ich waen daz ie geschah. Von wem was der man erborn?'* – Vgl. MARTINS Kommentar zur Stelle. – Spec. eccl. (Mellbourn) 96, 28ff.: Er (Christus) sprach: *‚Ich bin ein bluome des ueldes unde ein lilie der teler'. Daz velt ist div ungeruorte erde, div ungeuurhte erde, div ganze erde. Div unberuorte erde ist unser urowe s. Maria,*

Stellen wir die Beziehung des Textes zur Parzivalhandlung her, so bestätigt er unsere Deutung. Es kommt hier alles darauf an, die Begriffe *sippe* und *künne* ihrem Inhalte und ihrer Reichweite nach richtig zu verstehen. Es heißt 465, 3: Gott *uns sippe lougent niht,* Gott ist von unserer, von menschlicher Art. Er ist aus Adams Geschlecht. Da von Adam auch die Sünde herkommt, so gilt der Satz: *Von Aadames künne huop sich riwe unt wünne.* Sünde und Heil kommen letztlich aus der gleichen Wurzel. Die Verwandtschaft in der Geschlechterfolge wird heilsgeschichtlich verstanden: *sippe ist sünden wagen.* Jeder Mensch übernimmt die erbsündige Verfassung von seinen Vorfahren, die auf Adam zurückgehen; er hat auch teil am Heil, da in Adam schon Christus vorgebildet war. – Das gilt auch für Parzival. Wolfgang Mohr hat darauf hingewiesen, daß die Verwandtschaft Parzivals mit Ither (die wegen der Schuldproblematik so bedeutsam ist, s. u. S. 94ff.) in solchem Sinne verstanden werden muß.[26] Ithers Verwandtschaft zu seinem

div bluome, div da uz gerunnen ist, daz ist der heilige Christ ... Vgl. auch Konrad v. Würzburg, Sylvester (GEREKE) 3450ff. – Passional 78, 95ff. – Adt. Genesis (DOLLMAYR) 1270–1273 (dazu die Rekapitulation 1041–1048). – Bücher Mosis (DIEMER) 10. – Freidank 7, 10ff. – Über den Vergleich Marias mit der undurchfurchten, unverletzten Erde s. SALZER, a. a. O. 3ff. – P. WAPNEWSKI hat a. a. O. 62ff. auf das Symbol der roten Farbe von Parzivals Rüstung hingewiesen und es mit der Tötung Ithers in Verbindung gebracht. Dazu eine Stelle aus Heinrichs v. Hesler ‚Apokalipsis' (21765ff.):

Der sechste stein ist sardis
Ein stein des besten ardis
Der under den allen mac gesin.
Her treget roter erden schin
Und bezeichenet Adamen
Mit allem sinem samen
Beide durch den obermut
Den man hutestages tut
Und den her selben vor begienc
. . .
Und viel in senenden ruwen
Zu diser vil ungetruwen
Roten erden, uf der wir wonen
. . .
Da von wart genennet sint
An sime gedute
Durch die valschen lute
‚Rot erde' min her Adam
Wen her mit ungetruwen nam
Daz obez wider gote.

So heißt auch Parzival ‚der rote Ritter' nach seiner Kainstat.

[26] WW 2, 1951/52, 150ff. Anderer Meinung ist HUGO KUHN, DVjschr. 30, 1956, 166. – Die Bedeutung der Sippe für Parzivals Lebensweg hat zuerst Schwietering hervorgehoben; aber es ist mir nicht recht klar geworden, was es heißen soll, daß *art* bei Wolf-

Besieger ist nämlich keineswegs enge Vetternschaft, sondern läuft über seinen „Ur-ur-urgroßvater, den ‚Adamssohn' Mazadan" (151). Mazadan ist, wie uns ein Blick auf die Stammtafel am Schluß der Ausgabe von Hartl zeigt, der Stammvater des gesamten Grals- und Artuskreises. Parzival und Ither sind, so interpretiert Mohr den Text, in Adam verwandt. Die Tötung Ithers ist Parzivals Kainstat: er erschlug ihn *durch giteclichen ruom* (463, 25), *umb krankez guot* (464, 17; Rüstung und Pferd) beging er den *reroup*. Er handelte dabei auf Rat Herzeloydes, die ihm anbefahl, Lähelin zu töten; für diesen hält er den Roten Ritter (154, 25). Herzeloydes Rat ist Ursprung aller aus der Erbsünde folgenden Vergehen. Aber zugleich liegt in ihr auch der Ursprung alles Heils: Von ihr her kommen *riwe unt wünne*. Die rekapitulative Dialektik des IX. Buches interpretiert das gegensätzliche Wesen der Mutter. Die antithetischen Formulierungen des ausgehenden II. Buches:

beidiu siufzen und lachen
kunde ir munt vil wol gemachen.
si freute sich ir suns geburt:
ir schimph ertranc in riwen furt

und das vorangehende Doppelbild 113, 18ff. der Maria mit dem Kinde und der Pietà praefigurieren den Heilsgedanken des IX. Buches. Der eigentliche Bezug dieses Marienbildes und aller anderen marianischen Züge der Herzeloyde zum Sinn der Handlung, der damals noch dunkel und verborgen war, wird jetzt offenbar. Die Textaussage schließt die Zusammenhänge auf, macht sie durchsichtig. Der Lebensweg Parzivals ist Nachvollzug, imitatio, des Heilsgeschehens zwischen Adam und Christus. Alles, was vor diesem Wege, also in Soltane, geschieht, hat sein Urbild in der Praeszienz Gottes. Wie Luzifer, der Adam und Eva verführte, nur ein Werkzeug in Gottes Hand war und daher unwissentlich das Rechte tat (dieser Gedanke durchzieht viele der oben besprochenen Denkmäler und wird dort mehrfach breit abgehandelt, vgl. 67f.), so ist auch Herzeloyde in allem und jedem eine von Gott gelenkte Gestalt. Sie bereitet ihrem Sohn das Schicksal, das Gott für diesen – wie für jeden Menschen – vorgesehen hat.

In diesen Zusammenhang gehört nun auch ein bisher noch nicht besprochenes, in der Textanalyse am Anfang aber schon berührtes Motiv: die Identifizierung von Parzival mit seinem Vater Gahmuret am Ende des

ram „hohe Abkunft, Sittlichkeit und Religiosität einbeschließt" (Dt. Dichtung d. Ma. 164). Gewiß tritt die Sippe auch als „Verwandtenhierarchie, deren sich Gott als Mittel seiner Führung bedient" auf (Sigune, Trevrizent); aber man muß hier unterscheiden zwischen einer Führung, die unmittelbar durch die Zugehörigkeit zur Mazadansippe wirkt, und einer solchen, die mittelbar durch Rat und Hilfe eingreift. Hier ist nur von der ersteren die Rede.

II. Buches. Herzeloyde sagt: *,ich trage alhie doch sinen lip'* (109, 26); *,daz waer Gahmurets ander tot'* (wenn der Sohn stürbe, 110, 18). *si duht, si hete Gahmureten wider an ir arm erbeten* (113, 13). Vor allem: *,und bin sin* (Gahmurets) *muoter und sin wip'* (109, 25). – Fassen wir diese Aussagen ebenso wie die Hinweise auf die Gottesmutter nicht in neuzeitlichem Sinne als bloße Stimmungsäußerungen, sondern als *bezeichenliche rede* auf, so sagen sie aus, daß Gatte und Sohn wesenhaft gleich sind. Herzeloyde ,ist' also nicht nur die ,Mutter', sondern auch die ,Gemahlin' Parzivals – ganz im oben (S. 61) erläuterten Sinne des ,ist'.

Wir müssen auch hier wieder auf rekapitulative Vorstellungen zurückgreifen. Maria ist nicht nur die Mutter, sondern auch die Gemahlin Christi (und seine Tochter), da Gott = Christus ist. Die dreifache Wesenheit Gottes in der Trinität läßt Maria als Gemahlin, Mutter und Tochter erscheinen. Auch diese Vorstellung ist im mhd. Schrifttum reich dokumentiert, wobei die Paradoxie eines solchen Verhältnisses durchaus bemerkt und vom Wunder der göttlichen Trinität her verstanden wird:

Heinrichs Litanei 313f.: *wande dih gescuf der sceffere: dv tohter den uater gebere.* ebenda 200: *gemale des ewigin kuningis.* – Vorauer Sündenklage 172f.: *du bist des obristen kint unde bist doch sin muoter.* – In Konrads von Heimesfurt ,Himmelfahrt Mariae' wird 923; 940ff. von der *hirat,* der *e* zwischen Christus und der *maget,* seiner *muoter,* gesprochen. – Heinrich von Hesler, Apokalipsis 23189ff.: *Oder sine muter trut Mac heisen des vater brut Wand si sinen sun gebar.* – Weitere Belege s. bei Salzer, a. a. O. 100ff.

Die Beziehung von Herzeloyde, Gahmuret und Parzival ist also in der Beziehung der göttlichen Personen zueinander vorgebildet. Dadurch entsteht ein Komplex von Antithesen und Parallelen, der die handelnden Figuren des Romans noch fester an das heilsgeschichtliche Urbild bindet. Beim Eintreffen der Nachricht vom Tode Gahmurets regt sich zum ersten Male das Kind im Leibe Herzeloydes: Tod und Geburt, Sünde und Heil, Schmerz und Freude, Leid und Lust nehmen hier ihren Anfang. Bei der ersten Lebensregung des Menschen steht schon der Tod drohend hinter ihm. Woher das kommt und was es bedeutet, erschließt sich dem danach fragenden Menschen, wenn er sich selbst im Lichte des göttlichen Ratschlusses sieht, wenn er sein eigenes Dasein transparent macht für den göttlichen Schicksalsgedanken. Die Zurückführung auf ein Urbild gehört zu den im Mittelalter häufig angewandten Verfahren; im religiösen Bereich ist das allegorische Verstehen die vorherrschende Methode.[27] Wolfram wendet sie, wie wir gesehen haben,

[27] So erscheinen Gottvater, Adam, Eva und Maria in der Spruchdichtung als ,Urbilder' von Mann und Frau. – Im ,Krieg von Würzburg' aus der ersten Hälfte des 14. Jh. (K. Bartsch, Meisterlieder d. Kolmarer Hs., 1862, 351ff.) streiten sich Frauenlob und

überall an, sie durchzieht sein ganzes Werk. An dieser Stelle erreicht sie ihre äußerste Konsequenz. Der Gedanke, daß der Mensch imago Dei sei, hat hier die epische Darstellung bestimmt.

Ich hoffe, daß deutlich geworden ist, worauf es mir ankommt: nachzuweisen, daß Wolframs widerspruchsvolle Herzeloyde und alles, was mit dieser wichtigen Figur zu tun hat, aus religiösen Vorstellungen, die in Laienkreisen um 1200 lebendig waren, erwachsen ist. Ein solcher Nachweis ist

Regenbogen darüber, ob den Frauen oder den Männern die höhere Ehre gebühre. Frauenlob stellt sich auf die Seite der *wip*:

118ff.: Waz waern die man, und waeren niht die reinen wip
. . .
und waer niht reiner wibes nam, so waer got niht geboren
. . .
Got hat die liebe muoter sin mit wiben uz erkoren
got kam zuo ir e Adam was geschafen

171ff.: e got geschuof ie creatiure, wip noch man,
do sach er dise maget under ougen an
die er ze muoter hete erkorn . . .
Dar umb ist, wip, din nam gar reine und uz erlesen

232ff.: e wip ald man uf erterich ie wart geborn,
do hete er die reine maget uz erkorn
er het sie in der hügde sin, got wolt ir selber hüeten.

Maria war also schon vor der Erschaffung der Welt im Vordenken (*hügde*) Gottes. – Regenbogen hält dem entgegen, daß Gott selber *was geformt ein man* und daß er als ersten den Adam schuf, von dem dann Eva genommen wurde (185ff.), außerdem sei den Männern das Priesteramt vorbehalten (114ff.). – Vgl. dazu Suchensinn (E. Pflug, Suchensinn u. s. Dichtungen, Breslau 1908 = Germ. Abh. 32, 1, 62ff.) im gleichen Zusammenhang (Streit zwischen Priester und Frau):

e himel und erde wart geticht,
wip was bi gotes angesicht,
redet kein priester anders icht?

Suchensinn beruft sich hier, wenn er abschließend der Frau die höhere Stellung zubilligt, auf die theologische Meinung. – Das Thema der Streitgespräche (Lob von Mann und Frau) läßt natürlich nur für die positive Seite der Beziehung Raum. Die Stelle Christi nimmt der Priester ein, der in der Eucharistie die Wandlung der Hostie in den Leib Christi vollzieht:

‚der an dasz criutz sich hat genigen,
den sich ich lebendig vor mir ligen.' (1, 23f.).

Noch in Hans Sachs' Fastnachtspiel ‚Wie Gott der Herr Adam vnnd Eua jhre Kinder segnet' von 1553 (hrsg. v. Theo Schumacher, Hans Sachs' Fastnachtspiele, 1957, 103ff.) weist Adam im Gebet auf den künftigen *Heylandt* hin und beruft sich auf die Verheißung (78ff.); Gott antwortet: *Dein Sam zerdreten wirt die Schlangen, Denn werdt jr gnad vnd heil erlangen . . .* (151ff.; 160ff.). Auch Seth spielt die gleiche Rolle wie bei Immessen: *Set der eltest* betet den Geschwistern vor und zwar das *Vatter vnser*! Es folgt der Gang ins Paradies (205ff.).

nötig, weil wir Wolframs Quelle für diese Konzeption – wenn es eine solche gab – nicht kennen. In Chrétiens Perceval finden wir nichts dergleichen. Wir sind in der glücklichen Lage, eine Fülle von Texten zu besitzen, denen wir direkt oder indirekt entnehmen können, in welcher Weise die Menschen der damaligen Zeit die religiöse Welt erlebt haben. Sie sind unschätzbare Dokumente für die Spiegelungen, die das geistige Leben in jenen Kreisen erfuhr, denen Wolfram und die anderen höfischen Dichter angehörten. Es kommt ja doch für die Lösung der Fragen, die sich uns bei der Analyse ihrer Werke stellen, immer darauf an, die theologisch-philosophischen Lehrmeinungen gerade in derjenigen Ausprägung und Akzentuierung heranzuziehen, die diese im vulgären Verständnis der ritterlichen Laienwelt erfuhren. Aus diesem Grunde habe ich, wo immer es nur möglich war, die Belege aus der mhd. Literatur denen aus Mignes Patrologie vorgezogen. Wir können, so meine ich, nur auf diese Weise vermeiden, daß das Bild, das wir uns von dem lebendigen Leben der Zeit machen, ein am Schreibtisch erdachtes ist. Das historische Verstehen bedarf einer Komponente, die die Brechungen und Verschiebungen, denen die zeitgeschichtlich wirksamen Philosopheme in der breiten Menge ausgesetzt sind, mit einrechnet.[28]

[28] Wer diese Komponente bedenkt, wird auch nicht gleich jede tatsächliche oder scheinbare Abweichung von der kirchlichen Lehre als Häresie verstehen und jede Variante des Ausdrucks auf den Einfluß irgendwelcher Theologien zurückführen wollen. Mit Recht ist die Wolframforschung der letzten Zeit von solchem Verfahren abgerückt, vgl. besonders P. Wapnewski a. a. O. und Oskar Katann, Einflüsse des Katharertums auf Wolframs Parzival?, WW 8, 1958, 321ff. – Es gibt theologisch ungemein wichtige und bedeutsame Fragen, die in der Laienwelt (jedenfalls in Deutschland) gar keinen Widerhall fanden (so etwa der Streit mit den Nominalisten); andrerseits haben die Laien Probleme bedrängt, die theologisch keine Schwierigkeiten machten und daher auch geistesgeschichtlich recht belanglos sind. Diese Unterscheidung macht die geistesgeschichtliche Methode bei der Analyse dichterischer Denkmäler fragwürdig. Sie legt in die Denkmäler leicht Fragestellungen hinein, die diese gar nicht oder doch nur in abgeleiteter und umgedachter Weise enthalten.

6. Parzivals Lebensweg

Die Ordnung der drei Lehren

Die Untersuchung hat ergeben, daß wir die epischen Vorgänge vor und in Soltane von jenem Vordenken Gottes, von der Praeszienz, her verstehen müssen. Was vor dem Ausritt geschieht, ist eine Art ‚Prolog im Himmel'; das eigentliche ‚Leben' im Sinne der Grundfigur beginnt eben mit diesem Ausritt. Die Mutter stirbt: der Knabe ist nun ganz sich selbst überlassen und reitet davon. Er wird niemals nach Soltane zurückkehren – denn die Waldeinsamkeit ist nicht ein Ort im Leben, sie ist kein Raum in dieser Welt.

Wir müssen nun diesen Lebensweg Parzivals, auf den wir schon des öfteren Bezug genommen haben, noch genauer und vor allem im Zusammenhang verfolgen. Er vollzieht sich nicht in einem episch kontinuierlichen Fortgang, sondern nach einem rekapitulativ konzipierten Grundplan, d. h. die Antithesen des ‚vorgedachten' Ansatzes stellen sich nun unter das Gesetz der ‚Zeit' und werden im stationären Nacheinander des Lebensvollzugs ‚aufgehoben'. Noch einmal formuliert der Text beim Aufbruch des Knaben den Widerspruch in aller Schärfe: Herzeloyde fällt tot nieder; der Sohn ist die Ursache ihres Todes. Aber sogleich heißt es 129, 2ff.:

> doch solten nu getriuwiu wip
> heiles wünschen disem knabn,
> der sich hie von ir hat erhabn.

Dem Muttermörder wünscht der Dichter Heil auf seinem Wege!

Dem Wege Parzivals durch das Leben liegt der Zeitbegriff zugrunde, den die christliche Spekulation seit Augustin konzipiert hat. Alle Dinge und Wesen sind zeitlich, „weil sie ihr Sein nicht auf einmal verwirklichen können".[1] Der Mensch ist durch den Sündenfall an seiner Substanz geschädigt worden, er muß wiederhergestellt werden. Diese Wiederherstellung ist der Lebensvorgang.[2] Er verläuft in drei Stufen: vom Naturstand über den Gesetzesstand zum Gnadenstand. Das ist sowohl persönlich als auch historisch gedacht: jeder Mensch muß die Stufen durchlaufen, die auch die Geschichte

[1] GILSON-BÖHNER, Geschichte der christl. Philosophie, 2. Aufl., 1952, 203.

[2] Diese Vorstellung schließt jeden Begriff der ‚Entwicklung', auch den der ‚Erziehung' im Sinne der Entfaltung keimhafter Anlagen aus. Der Mensch ist nicht Samenkorn, das sich zu seinem vollen Sein entfaltet, sondern trümmerhafter Rest eines vordem schon vorhandenen Seins, das wieder aufgerichtet werden soll.

durchlaufen hat: von der Vertreibung aus dem Paradiese über das jüdische Gesetz (Altes Testament) zur Erlösungstat Christi (Neues Testament). Heiden – Juden – Christen entsprechen diesen Stufen.[3]

Diese Anschauung ist so tief in das Bewußtsein der Menschen des Mittelalters eingedrungen, daß sie uns überall wieder begegnet. Sie liegt noch der ‚Erziehung des Menschengeschlechts' Lessings zugrunde und hat Hegels Geschichtsphilosophie bestimmt. Das braucht hier nicht weiter erörtert zu werden.[4] Das ‚Werden', ‚Reifen', ‚Fortschreiten' der Menschheit wird vorgestellt als die Wiedererrichtung eines zerbrochenen Baues gemäß dem erhaltenen Bauplan. Das gilt auch für den Einzelmenschen und sein Leben.

[3] Zur ganzen Frage Köster a. a. O. 108ff. (für Hugo von St. Victor); Th. Ohm a. a. O. 212ff. (für Thomas von Aquin). – Es ist ohne Bedeutung, daß seit Augustin auch eine Einteilung in 6 Zeitalter, entsprechend den Schöpfungstagen, auftritt. Gelegentlich ist auch die Zuordnung zu den Stufen inhaltlich anders, als im Folgenden dargestellt. Wolfram steht Hugo v. St. Victor nahe, bei dem es MPL 176, 313 B heißt: „In primo genere („naturalis legis") continentur pagani; in secundo genere, Judaei; in tertio genere, Christiani". „Tempus tamen naturalis legis ad aperte malos pertinet, quia illi tunc et numero plures et statu excellentiores fuerunt. Tempus scriptae legis, ad ficte bonos, quia tunc homines in timore servientes opus mundabant non animum. Tempus gratiae ad vere bonos pertinet, qui modo etsi numero plures non sint, tamen statu sunt excellentiores . . ." – In der Predigt Germ. 7, 337f.: *In der ersten e do brahte got das vermügen, daz ist: er gap im craft unde maht zuo allen guoten werken. Aber in der andern e gab er im bekentnüsse, daz ist: er gab im zuo erkennen die warheit. In der dritten e gab er im ein wollen, daz ist: er gab im guoten willen zuo allen guoten werken . . . nature . . . die heiligen schrift . . . götliche gnade . . .* – Predigt exaltationis crucis, Spec. eccl. (Mellbourn) 103, 12ff.: *Driv leben, als uns seit div heilige scrift, sint. In eineme lebenne lebeten die lute an ain e, uon Adame unze an Moysen. Uon Moyse unze an Christes geburt was daz ander leben mit starcher e bevangen. Daz dritte leben wert uon Christes geburt unze anz urtaile; daz heizzet daz leben under der gnade.* – Vgl. auch die o. S. 57 zitierte Predigt zu Palmarum.

[4] Vgl. darüber Karl Löwith, Weltgeschichte und Heilsgeschehen, 3. Aufl. Stuttgart (1953). – Daß ein solches religiöses Geschichtsdenken heute noch lebendig ist, beweisen die Schriften von Eugen Rosenstock-Huessy, dessen Aufsätze und Reden jetzt unter dem Titel „Das Geheimnis der Universität", Stuttgart (1958), erschienen sind. Vgl. besonders die Abhandlung Der Datierungszwang und Giuseppe Ferrari (1812–1876) 35ff. Die Epochen der Weltgeschichte, die „großen Zeiten", werden nicht vom Historiker nachträglich festgelegt, sondern sie sind „Leitersprossen, auf denen der Heilige Geist in die Welt hinuntersteigt. Die Epochen kann niemand begreifen, der einer einzelnen Epoche naht. Alle Zeit ist vielmehr eine, vom ersten bis zum jüngsten Tag . . . Die großen und die kleinen Epochen, in denen Gott uns anatmet und den lebendigen Odem in unsere Nasen bläst, und deine und meine Lebenszeiten sind ja dasselbe Geschehen . . ." Geschichte wird also von Gott gemacht, die Menschen können ihren Gang „vernehmen", doch bedarf es dazu des „Gehorsams". „Das Leben im Rhythmus, das Vernehmen, geht dem Verstehen des Rhythmus voraus". Der „Zeitmesser" ist, nach Ferrari, der „absolute Gehorsam". – Eine erstaunliche Übereinstimmung mit dem, was für Parzivals Lebensgang gültig ist!

1. Im Naturstande, unter dem Naturgesetz, ist der Mensch durch den Sündenfall blind. Die Welt wird von ihm „wohl noch in ihrem materiellen Ansich, nicht mehr aber in ihrem Gotteshinweis erfaßt“, da er „zum Verstehen ihrer in der Natur verwirklichten Erscheinungsform erblindet war“. „Wie ein Analphabet vor einer Schrift, deren schöne Formen und farbige Ausführung er bewundert, deren Sinn er aber nicht versteht, so steht der Mensch (homo animalis) vor der Schöpfung, weshalb denn auch gerade die Hl. Schrift sich bemüht, den Gotteshinweischarakter der Welt für den Menschen wieder zum Sprechen zu bringen“.[5] Im Naturstande befinden sich alle Menschen, „die durch kein positives Gesetz gebunden, nach ihrer eigenen natürlichen Vernunft oder verderbten Begierde ihres Fleisches Sitte und Leben bestimmen“.[6] „Die Erbsünde schlug den Menschen in der Ignoranz mit Heilsunwissenschaft, in der Konkupiszenz mit Heilsohnmacht. Die Auswirkung beider Grundschäden macht das Naturgesetz aus. Die Menschen schämten sich ihrer Sünde nicht, sie entweder gar nicht erkennend, oder doch nur gering einschätzend.“[7]

In diesem Zustande ist Parzival vom Ausritt bis zur Begegnung mit Gurnemanz. Er lebt ‚nach seiner eigenen natürlichen Vernunft‘ und der ‚verderbten Begierde seines Fleisches‘ (s. die Textanalyse oben S. 20ff.). Der triebhafte Naturbursche ist ignorant und konkupiszent; *tump* und *wilde*. Aber der Dichter verurteilt ihn nicht, er stellt sich überall positiv zu ihm (immer wieder erwähnt er seine *tumpheit* und entschuldigt ihn damit), weil er in seinem Urteil innerhalb der Stufe bleibt. Das negative Urteil wird erst auf der nächsten und erst recht auf der übernächsten Stufe gefällt (s. u.). Parzivals Wesen wird einfach beschrieben und als der Stufe gemäß gutgeheißen. Schon den Ausritt begleitet der Dichter mit einem guten Wunsch (129, 2f.). Auffällig oft werden seine hohe Geburt und seine Schönheit gelobt: 131, 1; 133, 18; 139, 25: 141, 5; 146, 5ff.; 148, 22ff.; 148, 30f.: *im kunde niemen vient sin*; 149, 19; 25; 158, 13ff. – Ausdrücke wie: *der unverzagte* 138, 3, *unverdrossen* 139, 1, *valsches vrie* 147, 17 kennzeichnen ihn als einen naturhaft hochbegabten, mit besten Eigenschaften ausgezeichneten Mann. Daß er sich bei Jeschute mit einem Kuß begnügte, tadelt der Dichter 139, 15ff. sogar:

> het er gelernt sins vater site,
> die werdecliche im wonte mite,
> diu buckel waere gehurtet baz,
> da diu herzoginne al eine saz

[5] Köster a. a. O. 86.
[6] Ebenda 109.
[7] Ebenda 110. – Hugo v. St. Victor, MPL 176, 690 AB.

– er hätte die günstige Situation viel besser nützen sollen! Man kann kaum deutlicher ausdrücken, daß das Naturhafte, der Naturtrieb, hier auch das Werthafte ist (*werdecliche*!). –Parzival hat Mitleid mit dem, der Kummer leidet: 141, 25ff.; 153, 17. Mitleid ist einfache naturhafte Regung, wie auch die Freundlichkeit gegenüber den Leuten, denen er begegnet (auch das natürliche Mitleid wird später am Gral als nicht ausreichend getadelt werden!) – Parzival hat Lust zum Kampf 141, 29; rasch will er Ritter werden 149, 12ff.; 27ff. *der knappe guot* 155, 4. Wie er den Feind bekämpft, so grüßt er den Freund 142, 6ff. Sehr deutlich wird das positive Urteil bei der Darstellung des Kampfes mit Ither. Parzival fordert von Artus ungestüm die Rüstung Ithers, aber dieser gibt seine Einwilligung zu dem Kampf nicht. Da setzt sich Keye für den Knaben ein (150, 11ff.):

> ‚ir waert ein künec unmilte,
> ob iuch sölher gabe bevilte.
> gebtz im dar‘ . . .

Darauf Artus:

> ungerne wolt ich im versagn,
> wan daz ich fürchter werde erslagn
> dem ich helfen sol der riterschaft‘
> sprach Artus uz triwen kraft.

Dazu 154, 12ff. Ither zu Parzival:

> . . . ‚hat Artuses hant
> dir min harnasch gegebn
> deswar daz taeter ouch min lebn
> möhtestu mirs an gewinnen‘

Noch am Anfang des VI. Buches heißt es von Artus (280, 8ff.):

> . . . daz er suochens pflac
> den der sich der riter rot
> nante und im solh ere bot
> daz er in schiet von kumber groz,
> do er den künec Itheren schoz.

Die Tötung Ithers ist also nicht nur erlaubt, sondern höchst verdienstlich. Artus zögerte, Parzival die Erlaubnis zu geben, weil er für dessen Leben fürchtete. Ausdrücklich wird der Zweck des Mordes dahin verstanden, daß Parzival die Rüstung des Gegners haben wollte; *uz triwen kraft* stimmt Artus zu.[8] – Der massive Widerspruch zum späteren Urteil Trevrizents ist nur so zu verstehen, daß im Naturstande jede mutige Tat, jedes triebhafte

[8] Merkwürdigerweise wird diese Szene von der Forschung durchweg übersehen; sie paßt freilich nicht gerade in die übliche Interpretation.

Handeln uneingeschränkt werthaft sind. Der Knappe Iwanet hilft, dem Toten die Rüstung auszuziehen (155, 19ff.). Der Dichter beklagt nur, daß Ither von einem *gabylot* und nicht von einem ritterlichen *sper* getötet wurde (159, 9ff.):

> waer ritterschaft sin endes wer,
> zer tjost durch schilt mit eime sper,
> wer klagte dann die wunders not?
> er starb von eime gabylot.

Aber das fällt noch nicht hier, sondern erst später, auf der Stufe des Gesetzes, dem Täter zur Last (161, 7ff.):

> sit do er (Pz.) sich paz versan,
> ungerne het erz do getan.

Durch die Ritterlehre des Gurnemanz ‚versinnt' sich Parzival eines Besseren. – Die Klage der Frau Ginover um Ither 160, 1ff. enthält ebenfalls nicht den geringsten Tadel; sie ist die übliche Klage der Frauen um den Kampftod eines minniglichen Helden.

Wolfram breitet also ein Dasein aus, das ‚bloße Natur' meint. Da alles, was Parzival tut, dem Gebot der Mutter entspricht (s. o.), so erscheint deren Lehre hier in diesem Abschnitt als uneingeschränkt gut. Der Dichter urteilt ganz auf der Ebene der Stufe. Natur ist ‚an sich' gut; von diesem ‚Ansich' her wird der Abschnitt gestaltet. Das galt, wie wir sahen, ebenso für Parzivals Gottesbegriff. Der Dichter distanziert sich nicht von seinem Helden, er geht vielmehr immer mit ihm mit, er bleibt ihm zur Seite. Parzival hat eine prachtvolle Natur; er hat sie von Vater und Mutter her, und das ist zu loben.

2. Bei der ersten Begegnung mit Gurnemanz tritt Parzival in den Gesetzesstand über, d. h. in den Stand des ‚geschriebenen' Gesetzes. Er steht also jetzt unter anderen objektiven Bedingungen, er hat in anderer Weise teil am Plane Gottes. Gleich am Anfang wird ihm das mitgeteilt (163, 3ff.):

> ‚Sit ir durch rates schulde
> her komen, iwer hulde
> müezt ir mir durch raten lan,
> und welt ir rates volge han.'

Unter dem ‚geschriebenen' Gesetz erhält der Mensch „Befreiung von dem erkannten Mangel ... Was unter dem Naturgesetz wegen der Ignoranz nur ein Delikt gewesen, wurde unter dem Geschriebenen Gesetz durch die Konkupiszenz Sünde. Das Gesetz machte die Sünde als solche kenntlich, stellte sie unter Srafe, weshalb die Menschen, unfähig, die Sünde zu meiden, ihre bösen Taten verheimlichten, durch äußere Erfüllung des Gesetzes gute Taten vortäuschten, ohne innerlich gerecht zu sein. So war das Geschriebene Gesetz ohne innere Gottesliebe eine Zeit knechtischer Furcht, gezwungener äußerer Gesetzestreue bei Fortdauer der inneren Schwäche (Konkupiszenz).“[9]

Gurnemanz’ Rat entspricht dem ‚geschriebenen‘, d.h. dem in Vorschriften gegebenen Gesetz. Parzival hört auf, die Weltlehre der Mutter zu befolgen. So sind die bekannten Verse 170, 10ff. zu verstehen:

> ‚ir redet als ein kindelin.
> wan geswigt ir iwerr muoter gar?
> und nemet anderr maere war.
> habt iuch an minen rat:
> der scheidet iuch von missetat.
> sus heb ich an: ...‘

Der Text sagt hier nicht nur aus, daß Parzival das beständige ‚so riet mir meine Mutter‘ unterlassen solle, weil es kindisch sei, solche Worte immer beizufügen. Mit aller Deutlichkeit heißt es: ‚lebt hinfort nicht mehr nach dem Rate der Mutter, sondern nach dem meinigen‘. *anderr maere* ist die neue Lehre; das Wort *minen* (170, 13) steht im Gegensatz zu *muoter*. Der Rat der Mutter hat den Sohn zu *missetat* (170, 14) geführt, er hatte, da er ihn befolgte, *wilden muot* (170, 8), der jetzt ‚gezähmt‘ werden soll. Vgl. dazu noch 171, 16: *nu lat der unfuoge ir strit.* Mhd. *rede* bedeutet nicht nur ‚Rede‘ sondern auch ‚Verantwortung, Rechenschaft, Vernunft, Verstand‘, dem lat. ratio entsprechend; das Gewicht liegt also auf dem Inhalt der Rede. Das Subst. erscheint in den ersten Versen nach Abschluß der ‚anderen‘ Lehre (173, 7ff.):

> Der gast dem wirt durch raten neic.
> siner muoter er gesweic,
> mit rede, und in dem herzen niht;
> als noch getriwem man geschiht.

und nimmt damit das Vb. in 170, 10 wieder auf. *rede* ist dasjenige, was Parzival von der Mutter gelernt hat. Dem steht *herze* entgegen: das marianische Wesen Herzeloydes begleitet den Sohn auch fernerhin. Man darf diesen Gegensatz *rede : herze* nicht als den von ‚außen‘ und ‚innen‘ verstehen; das wäre ein ganz unangemessener neuzeitlicher Aspekt. Ich verweise hierzu auf die obigen Erörterungen über ‚Rat‘ und ‚Lehre‘ (S. 45 A. 10). Es handelt sich vielmehr um ‚Wissen‘ einerseits und ‚Wollen‘ andererseits: Parzival gibt das Wissen, das er von der Mutter hat, zugunsten eines neuen, höheren Wissens auf; den Willen zum Guten aber, das Streben, behält er bei.[10]

[9] Köster a. a. O. 110.

[10] Die mhd. Übersetzung der Summa des Thomas von Aquin gibt ratio sehr häufig mit *rede* wieder, vgl. das Register in der Ausgabe von Morgan und Strothmann, Stanford

Sehr deutlich wird die Stelle, wenn man sie mit der entsprechenden bei Chrétien vergleicht. Wolfram hat die Aussage seiner Quelle ins Gegenteil gewendet. Es heißt dort (Hilka 1416ff.):

> ‚Et quoi?‘ fet il (P.) – ‚Que vos creoiz
> Le consoil vostremere et moi‘ (G.).
> ‚Par foi,‘ fet il, – ‚et je l'otroi.‘

‚Und was ist das?‘ fragt Perceval. – ‚Daß Ihr dem Rat Eurer Mutter und dem meinigen glauben sollt.‘ ‚Bei Gott‘, sagt er, ‚das gewähre ich‘ (nach Sandkühler). Gornemant fordert also, daß Perceval seinem Rate u n d dem der Mutter folgen solle, er verwirft also den mütterlichen Rat nicht, wie Wolfram, sondern wiederholt ihn; seine Unterweisungen schließen gleichsinnig an die der Mutter an. Ausdrücklich weist Perceval, als Gornemant ihn ermahnt, die Münster zu betreten und dort zu beten, darauf hin, daß ihn dies auch schon die Mutter gelehrt habe (1672ff.):

> ‚De toz les apostres de Rome
> Soiiez voz beneoiz, biaus sire‘,
> Qu'autel oi ma mere dire.‘

Die beiden Lehren bauen einfach aufeinander auf, sie ‚heben‘ sich nicht ‚auf‘, wie bei Wolfram. Die Handlung verläuft bei Chrétien auf ganz realer Ebene: Perceval hat die Lehren der Mutter leichtfertig vernachlässigt und muß nun ermahnt werden, sich künftig an sie zu halten; Parzival war den Lehren immer ‚gehorsam‘. Lehre und Rat sind bei Chrétien ganz das, was wir heute darunter verstehen, bei Wolfram haben sie jenen oben erörterten besonderen Sinn, und daher mußte Wolfram von seiner Quelle abweichen. – Bei Chrétien bedeutet denn auch der Rat, nicht immer die Mutter im Munde zu führen, nichts anderes als eben dies (1675ff.).

university publications, 1950, 374; z. B. secundum propriam rationem: *nach sinen eigenen reden*; repugnant rationi possibilis: *widerwertig der rede der müglichi. rede* übersetzt außerdem: narratio, opinio, sermo; *rede han* = mentionem facere, *von rede* = ex parte, *in einer höchern rede* = analogice (393). Die Wendung *rede ergeben* ‚Rechenschaft ablegen‘ findet sich „seit dem ‚Muspilli‘ immer wieder in der deutschen Dichtung“ (Heinz Rupp, Rudolfs v. Ems ‚Barlaam und Josaphat‘, in: Dienendes Wort, Festgabe für Ernst Bender, Karlsruhe 1959, 33). Das Gewicht liegt auch da, wo *rede* einfach ‚Rede‘ meint, auf dem I n h a l t des Gesagten. Man beachte auch die Entwicklung des Wortes in spätma. Zeit zum Gattungsbegriff; die Dichter unterscheiden ‚Reden‘ = Spruchdichtung moralisch-religiösen Inhalts und ‚Lieder‘ = Minnelieder. – Bedeutungsmäßig steht *rede* in der Nähe von *rat;* auch an den beiden oben zitierten Stellen steht der *rede* Parzivals der *rat* des Gurnemanz gegenüber. Nachdem Parzival den ‚neuen‘ Rat empfangen hat, wird er künftig eine andere *rede* führen. Im IX. Buch mahnt Trevrizent: *sit rede und werke niht so fri* (465, 14). ‚Rede‘ ist hier gewiß = opinio; Parzival gibt seiner Meinung über Gott Ausdruck und wird dafür getadelt. Die Rede gibt die Gedanken wieder.

Die folgende Handlung beweist, daß Parzival nun dem Rate der Mutter nicht mehr folgt, sondern dem des Gurnemanz. An diesem Rate wird er nun gemessen. Die Hofgesellschaft ist entsetzt über seine Kleidung (164, 6ff.). Er ißt und schläft, wird gebadet und zum ersten Male ritterlich gekleidet. Ritterlich-höfische *zuht* ist das ‚geschriebene Gesetz', dem er nun unterstellt wird. Dazu gehört auch der gottesdienstliche Brauch. Der Hausherr führt ihn in die Kapelle und lehrt ihn *zer messe ... opfern unde segnen sich* (169, 15ff.). Er hat bisher weder eine Burg noch eine Kirche gesehen. In Soltane gab es das nicht, und Artus lebt immer in Zelten. Er berichtet über den Raub von *vingerl* und *fürspan* und vom Tode Ithers (169, 26ff.). Gurnemanz seufzt über Ithers *not,* er überträgt aber Ithers Namen auf ihn: *den roten ritter er in hiez* (170, 6). Das ist natürlich als Anerkennung gemeint; der unritterliche Kampf mit dem *gabilot* tritt hier vor der Leistung zurück. Dann folgt die Tugendlehre (170, 16ff.), danach praktische Übungen im Ritterkampf (173, 12ff.), die Parzival rasch absolviert, da er von Natur her vorzüglich dafür veranlagt ist: *den twanc diu Gahmuretes art und angeborniu manheit* (174, 24f.) – *er wart ouch sit an strite wis* (175, 6). In der Minnelehre (175, 19ff.) wird Parzival wegen des vorher gestandenen Raubes von *vingerlin* und *fürspan* getadelt: *der gast begunde sich des schemn.* Vor die Minne gehört der *strit* (177, 2ff.); bevor sich der Ritter nicht im ritterlichen Kampf bewährt hat, darf er nicht *minnen.* – Parzival verwirklicht alle diese Lehren in der Befreiung der Conduiramurs von Clamide, den er nicht tötet, wie einst den Ither, sondern an den Artushof sendet. – In der ganzen Lehre des Gurnemanz ist von Gott nicht die Rede. Der Gottesdienst, in dem Parzival unterwiesen wird, ist nichts als ein Teil der höfischen *zuht.* Das wilde, naturhafte Gebaren des jungen Mannes wird unter Regeln gestellt, die nun nicht mehr rein casuistisch sind, wie die der Mutter, sondern prinzipiellen Charakter haben. Parzival wird nicht mehr darüber unterwiesen, was er tun solle, wenn er einer Frau begegnet, sondern er erfährt, was die *minne* sei. Sein Handeln ist nun nicht mehr triebhaft, sondern ‚vom Geist gelenkt', von Überlegungen bestimmt.

3. Die dritte Lehre, die des Kahenis und des Trevrizent, erhebt Parzival in den ‚Gnadenstand', d. h. sie stellt sein Handeln unter die Lenkung Gottes. Gegenstand der Belehrung muß daher jetzt Wesen und Wirken Gottes sein. Parzival erfährt jetzt von dem Gott, *den diu magt gebar* (448, 2), von dem er bisher nichts wußte. Er verhält sich genau so wie vordem bei Gurnemanz: er befolgt dessen Rat künftig nicht mehr, sondern folgt dem neuen Rat. All sein bisheriges Tun tritt nun unter das Urteil dieses neuen Rates, d. h. Gottes. Was auf der ersten Stufe gut, auf der zweiten *missetat* war, ist jetzt *sünde* (456, 30); *sünde* wird auch das im Gehorsam gegen Gurnemanz ausgeführte Handeln, vor allem das Befolgen des Frageverbots am Gral. Auf

der zweiten Stufe erkannte Parzival wohl das *wunder groz* (239, 9), aber er konnte nicht wissen, von wem das Wunder kündet, da er ja von Gott erst auf der dritten Stufe erfährt. Im Sinne der zweiten Stufe handelte Parzival ganz richtig, wenn er nicht fragte – er denkt an Gurnemanz' Rat wie er vordem immer an den der Mutter dachte (139, 11–17) –, nun aber ist sein Nichtfragen *sünde. mir riet der werde Gurnamanz daz ich vrävelliche vrage mite,* so verteidigt er sich 330, 4f. Es fehlte ihm keineswegs an Mitleid mit dem kranken Gralskönig, denn *erbarmen* lehrte ihn Gurnemanz (170, 25; 171, 25). Gurnemanz hat ihn *tugent* gelehrt (170, 15ff.), er hat ihn gelehrt, zur Messe zu gehen und am Gottesdienst teilzunehmen (169, 15f.). Aber dies alles hilft ihm nun nicht. Denn er war auf der Stufe der Juden, die aus Unwissenheit in ‚knechtischer Furcht' und in der Erfüllung aller Gebote leben. Solche Menschen aber sinken in die Stufe der Heiden zurück, da ihre Tugenden ohne Aufblick zu Gott, ohne Gottesliebe, keine wahren Tugenden sind, „da es zwischen tugendhafter Gottesliebe und sündhafter Weltliebe kein Mittleres gibt."[11] Daher auch das oft besprochene ‚Vergessen der Zeit'. Es meint solchen Rückfall ins Heidentum, das ja keine ‚Zeit' im christlichen Sinne kannte, und so ist verständlich, daß Kahenis den am Karfreitag gerüstet einherreitenden Parzival *ein heiden* nennt (448, 19).

Wenn Parzival also in diesem Punkte nicht wegen des Gehorsams gegenüber der Lehre des Gurnemanz, sondern wegen eines Ungehorsams getadelt wird, so geht das auf die Vorstellungen zurück, die man über die im ‚Gesetzesstande' verharrenden Juden hatte. Sie fallen vom Gesetz ab, weil sie es nicht erfüllen können, und werden daher den Heiden und auch den Ketzern gleichgestellt.[12] Die Heiden haben keine göttliche Zeitvorstellung, sondern lediglich eine ‚natürliche', wie es ihrem im ‚Naturstande' verharrenden Sein entspricht. Sie rechnen nach Tag und Nacht, nach Jahreszeiten und Mondumläufen, nicht aber nach dem *salter,* in dem Trevrizent nachliest (460, 25f.), wie lange Parzival umhergeirrt ist.[13] Von der göttlichen Zeitsetzung kann Parzival erst wissen, nachdem er von den beiden Alten des IX. Buches darüber belehrt worden ist. Jede Stufe des Lebensganges wird durch eine Belehrung eröffnet; danach wird der Widerspruch zur vorhergehenden aufgezeigt. Das ist im IX. Buche nicht anders als am Ende des III.

Man muß also zugrunde legen, was das Hohe Mittelalter über den Fortgang der ‚Zeit' gedacht hat, um den Text Wolframs zu verstehen. ‚Weltzeit'

[11] Köster a. a. O. 114, dazu 110; 113f. – MPL. 175, 178 A; 176, 689 D.

[12] Vgl. Berthold von Regensburg, Predigten 401, 29 u. ö.

[13] Vgl. M. Wehrli, DU 6, 1954, 5, 39: „Selbst das Verlassen der kirchlichen Gemeinschaft ist weniger ein Akt der Empörung als ein Bild der Entfremdung Parzivals von der menschlich-göttlichen Gemeinschaft und der Zeitordnung überhaupt."

ist Zeit der *weralt*. Diese Zeit verläuft nicht nach ‚natürlichen' Gründen, sondern nach dem Willen Gottes. Alle Zeitbegriffe sind daher nach diesem Gotteswillen orientiert, nicht nach dem, was wir heute darüber denken. Der christliche Weltzeitbegriff in seiner substanziellen Gliederung bedarf eben wegen seiner Substantialität der inhaltlichen Bestimmung seiner Stufen. Alles christlich verstandene Leben kann sich daher auch nur in der Teilhabe an diesen Stufen vollziehen.[14]

Aus solcher Teilhabe an der Stufe des Gesetzes ergibt sich auch der vielbesprochene Begriff des *zwivels*. Im Speculum ecclesiae (ed. Mellbourn) findet sich dazu eine aufschlußreiche Stelle. Als Christus nach seinem Tode in der Hölle erscheint, um die Heiden und Juden – d. h. alle, die bisher nur nach dem Gesetz leben konnten, weil Gottes Sohn auf Erden noch nicht erschienen war und damit das Zeitalter der Gnade eröffnete – zu erlösen, da reden die Teufel untereinander (59, 28ff.): ‚*Also er her chom, alle die, die e gezwivelet hetin, die varnt nu in die frovde*'. – In Heinrichs von Hesler Ev. Nic. 5294ff. (Helm) werden die Juden ermahnt, an Christus zu glauben:

> O Israel tu rehte
> . . .
> Du enleistes niht daz got gebot
> und wenes iz doch leisten,
> du irres an den meisten.
> Du spriches: ‚Ich ste minem gote
> vil gar zu sinem gebote!'
> und des entustu nuwet
> . . .
> Wilt du an got gelouben,
> so must du dich erlouben
> alles zwiveles um in . . .

Die Juden ‚leisten nicht Gottes Gebot und glauben es doch zu leisten'; sie wissen nicht, daß man die Gebote gar nicht halten kann, sie wissen nichts von der Gnade und daher geraten sie mit Notwendigkeit in den Zweifel. Vom Zweifel erlöst nur die Heilswahrheit. So im Wh. 1, 23ff.:

[14] WOLFGANG MOHR stellt WW 2, 152 die Lehre Trevrizents mit Recht zu den Disputationen der Kaiserchronik (s. o. S. 73), meint aber, es gehe „überhaupt nicht um die objektiven Tatbestände, sondern um den Menschen. Ein Verirrter soll wieder dahin gebracht werden, daß er Gott liebt". Verirrt war P. in der Tat, aber doch nicht, weil er vom christlichen Gott abfiel – denn sein Gott war nicht der christliche –, sondern weil er ihn noch nicht kannte. In der dem Text zugrunde liegenden mittelalterlichen Konzeption vom ‚Menschen' fallen die ‚objektiven Tatbestände' mit dem ‚Menschen' in seiner individuellen Realität zusammen.

so git der touf mir einen trost
der mich z w i v e l s hat erlost:
ich han geloup haften sin

Der *touf* ist die Taufbelehrung, die Unterweisung in der christlichen Heilswahrheit. Dieses Wissen fehlt den Heiden und Juden, es fehlt auch Parzival auf der Stufe der Gurnemanzlehre. Trevrizents Christenlehre hebt den *zwivel* auf.

Die drei Lehren gehören in der Folge, in der sie verkündet werden, zusammen; man darf sie weder von einander trennen noch einander auf andere Weise zuordnen. Das Ganze der Wahrheit wird in drei Stufen, also in einem a d d i t i v e n Verfahren, ausgesagt. Das bezeugt der Text ausdrücklich: 330, 3 klagt Parzival über die Lehre des Gurnemanz: *so mac sin raten niht sin ganz.* In der Tat, er hat nicht a l l e s gesagt, es fehlte etwas, wie ja auch dem Rate der Mutter etwas fehlte. Weder der Mutter noch des Gurnemanz' Rat waren ‚an sich' falsch (s. o. S. 83). Aber sie waren nicht vollständig. Wir vergleichen dazu eine Predigtstelle:[15]

swer so wil behalden sin der muoz vor aller hande dinch den rechten glouben han, und der ensi g a n z u n d v o l l e n k u o m e n, so mustu ewichlichen vorlorn werden ... 4, 7: ... *ich habe den g a n z e n glouben* ...

Die Wahrheit wird allmählich, Teil für Teil, enthüllt. Sie ist notwendigerweise Teilwahrheit (und daher Unwahrheit), so lange die Ankunft Christi noch nicht geschehen ist. Die Offenbarung geschieht in der Zeit, in geschichtlichem Nacheinander. Zwar weisen die Ereignisse auf das Folgende hin, aber sie sind nicht selbst die Erfüllung. So sind alle Geschehnisse des Alten Testamentes, ja auch die Sibylle und die heidnischen Philosophen, Vorverkünder der Wahrheit. Davon spricht Wolfram 465, 19ff. (Trevrizent):

‚nemt altiu maer für niuwe,
op si iuch leren triuwe.
der pareliure Plato
sprach bi sinen ziten do,
unt Sibill diu prophetisse,
sunder falierens misse
si sagten da vor manec jar,
uns solde komen al für war
für die hohsten schulde pfant[16]

[15] SCHÖNBACH, Adt. Predigten 1, 3, 30f.

[16] Ebenso im Religionsgespräch des Wh. 218, 1ff. Gyburg schreibt es der *tumpheit* Terramers (des Heiden) zu, daß er sie von Gott trennen will und meint, er müsse doch durch *Sibille unde Plato* von *Adames val* wissen.

Die Stelle gibt einer im Mittelalter allgemeinen Meinung Ausdruck.[17] *bi sinen ziten* war die Lehre Platos richtig, jetzt, wo Christus erschienen ist, ist sie natürlich nicht ‚ganz', sie bedarf der Ergänzung. Analog dazu vollzieht sich Parzivals Weg: zu ihrer Zeit war die Lehre der Mutter richtig, zu seiner Zeit auch die des Gurnemanz. Alles, was gemäß diesen Lehren geschieht, steht in festem Zusammenhang mit der Station, an der es geschieht. Durch diese Stationen, also durch das objektiv Gegebene, wird Parzivals Weg bestimmt. Er ‚ist' jeweils das, was die Stationen kennzeichnet. In der exemplarischen Gestalt fallen Subjektivität und Objektivität zusammen. Durch die Gebundenheit an die objektiven Umstände der Station drückt sich die Teilhabe des Helden am göttlichen Plane aus.

Im IX. Buche wird das eigentliche, das auf Erden letzt-mögliche Urteil gefällt. Alles Vorherige war Vorstufe, Hinweis, eine nur dunkle und dämmerige Wahrheit. „Quid est, quod dicitur Testamentum vetus, nisi occultas novi? Et quid est aliud quod dicitur novum nisi veteris revelatio?"[18] Die Enthüllungen des IX. Buches sind die revelatio der Bücher III bis VI. Wir glauben nun den Grund dafür zu erkennen, weshalb Wolfram die Stellen in seiner Quelle, die so ausführlich vom christlichen Glauben handeln, getilgt und alles auf das IX. Buch verschoben hat. Seine Erzählung bildet den Lauf der Weltgeschichte nach, sie hüllt die Anfänge in die occultas der frühen Stufen, in die Dunkelheit des Heidentums – der Kindheit –, dann in die Dämmerung des Alten Testamentes, der Zeit des Gesetzes – der Lehrzeit Parzivals. Auch der Gral muß daher zunächst in dieser Dämmerung bleiben; man erfährt nur die bloßen Vorgänge, nicht ihre Bedeutung. Erst im IX. Buche erhält Parzival (und der Hörer!) Aufklärung.

Der Stufengang des Lebensvollzugs nach der Ordnung der drei Lehren ist selbstverständlich nicht ‚Entwicklung'. Vielmehr wird die persona des Helden stückweise ‚auferbaut'; sie ist erst ‚ganz', wenn diese aedificatio vollendet ist. Bei Hugo v. St. Victor heißt es:

„Creavit Deus animam primi hominis de nihilo, et inspiravit eam corpori de terra per materiam sumpto et formato, dans ei sensum et discretionem boni et mali; ut corpus ipsum sibi sociatum per sensum vivificaret, per rationem regeret et in ipso homine sensus esset subjectus rationi; ratio creatori ut secundum rationem corpus moveretur per sensum; ratio autem liberi arbitrio moveretur secundum Deum"[19]

[17] Thomas von Aquin war der Ansicht, daß „Plato seine Erkenntnis der göttlichen Dinge aus hebräischen Büchern, die er in Ägypten gefunden, geschöpft" habe (Th. Ohm, a. a. O. 230). Aus den Etymologien des Isidor wußte er auch von den Prophezeiungen der Sibylle (ebenda 231). Isidor hat den Parallelismus von Weltzeit und Menschenleben ausführlich behandelt und ist für die Folgezeit darin maßgeblich gewesen.

[18] Augustin, MPL 41, 505.

[19] De sacr. MPL 176, 265 B. Dazu Köster a. a. O. 61.

Dazu Augustin:

„Deus igitur summus et verus lege inviolabili et incorrupta, qua omne quod codidit regit, subiicit animae corpus, animam sibi, et sic omnia sibi“[20]

Parzivals ‚Sinnlichkeit‘ ist anfangs nicht dem Geiste untertan (vom Ausritt bis zu Gurnemanz ist er *wilde*), sodann ist sein Geist nicht Gott untertan (er diente nicht dem Gott, *den diu magt gebar*). Die Ordnung, die Gott bei der Schöpfung stiftete, wird in der ‚Zeit‘ wieder-erbaut, nachdem sie im Sündenfall zerbrochen war. Diese Bewegung ist eine vertikale, sie geht, wie der Bau eines Hauses, von unten nach oben, sie verläuft nicht horizontal in die Weite der Welt. Das ‚Ganze‘ wird also im Nacheinander der Teile erreicht, die, recht geordnet, einer den anderen ergänzend übersteigen.

Daraus wird natürlich nicht eigentlich eine ‚Biographie‘. Auch der Begriff ‚Erziehungsroman‘, den H. Kolb nach dem Vorgange Rankes vorschlägt,[21] trifft nicht das Richtige, da Erziehung ja doch immer ein empirischer Vorgang ist. Treffender wäre ‚Erbauungsroman‘ – wobei man das Wort freilich nicht im pietistischen, sondern in seinem ursprünglichen Sinne verstehen müßte.[22]

[20] De quant. animae 36, 80. Vgl. Gilson-Böhner, a. a. O., 208ff.

[21] Beiträge 78, Tübingen 1956, 72.

[22] Vgl. Trübners Dt. Wb. 2, 211f. – Max Wehrli in seinem Aufsatz: Wolfram von Eschenbach. Erzählstil und Sinn seines Parzival, DU 6, 1954, 32: „Vor allem soll das Wort ‚Entwicklung‘ vermieden werden, da seine biologischen, im Grunde monistischen Voraussetzungen die ma. Sachlage verfälschen. Die *tumpheit* des in der ‚Natur‘ aufwachsenden Helden ist keineswegs eine glückliche Naivität, die sich bloß zu entwickeln brauchte ... Vor allem handelt es sich auch nicht um die Entstehung einer persönlich-charakteristischen Individualität im modernen Sinn ... Noch immer ist das Subjekt getragen und bestimmt von einer im Absoluten ruhenden göttlichen Ordnung; sein Leben und sein Abenteuer empfängt seinen Sinn aus dieser Objektivität – nur daß eben Schöpfungsordnung und Heilsgeschichte als Seelengeschichte, als Begegnung und Prozeß, realisiert werden. So wird auch das abenteuerliche Heldenleben und sein Ertrag nicht perspektivisch in der Seele des Helden gespiegelt, sondern gleichsam aperspektivisch in der Ordnung der Räume, Stadien, Symbole gegeben, die es berührt. Verglichen mit einem Romanhelden sogar schon des 17. Jhs. ist auch die Figur Parzivals nur eine ‚Figur‘, eine stellvertretende Chiffre für ein allgemeines Ich, begleitet von der Reflexion des Dichters und der objektiven Bedeutsamkeit der symbolischen Umgebung, in der es sich sukzessive befindet. Darum ist das Werk als Ganzes eine romanhafte Analogie zur Heilsgeschichte der Menschheit“. Im gleichen Sinne äußert sich W. in seiner Besprechung des Parzivalbuches von P. Wapnewski AfdA, 68, 1955, 118. Vgl. auch de Boor, Lit.-Gesch. 2, 95: „Von einem Entwicklungsroman im modernen Sinn darf man darum doch nicht reden. Denn hier ist ein vorgegebenes Ziel vorhanden, das Gralskönigtum, zu dem Parzival ... äußerlich und innerlich vorbestimmt ist.“

7. Folgerungen

Parzivals Schuld

Das Ergebnis der Untersuchung bleibt, wie es nicht anders sein kann, im Rahmen der begrenzten Fragestellung, aus der es hervorgegangen ist. Das Ziel war keineswegs, das ‚Wunderwerk' der Dichtung aufzuzeigen, sondern, weit dahinter zurückbleibend, Voraussetzungen für ein solches Verständnis zu schaffen. Ich habe versucht, den ‚Elementarhorizont' (Schadewaldt) abzustecken, innerhalb dessen das Geschehen sich ereignet. Damit sind, so meine ich, die Bezugspunkte gegeben, die es möglich machen, die Interpretation aus der Beliebigkeit der persönlichen Auffassungen herauszuführen.

Von den Konsequenzen, die die gewonnenen Einsichten nach sich ziehen, sollen hier nur einige kurz gestreift werden.

1. Noch in der 4. Auflage des zweiten Bandes der Literaturgeschichte von de Boor (1960) stehen folgende Sätze: „Denn dieser Artuswelt fehlt das Höchste: die Gottbezogenheit. Natürlich ist der Artushof kirchlich eingebettet, aber seine Gottbezogenheit ist ein Stück der höfischen Form. Gott ist – so zeigte es uns der Erec – mit dem vorbildlichen Artusritter zufrieden, und dieser ist es mit Gott ... hier ist Gott sozusagen nur ein Teil der Welt". „Die nächste Erweiterung seines religiösen Horizontes erfährt Parzival durch Gurnemanz. Sie besteht, entsprechend der Aufgabe, die Gurnemanz in der Gesamtkomposition trägt, in der Unterweisung über gottesdienstliche Formen (169, 17ff.). Mehr ist es nicht, und mehr ist für den Artusritter nicht erforderlich" (109). Damit ist eine Zuordnung der Artuswelt zur Gralswelt ausgesprochen, die dem Text gar nicht entspricht, weil sie dessen Struktur nicht berücksichtigt. Parzival ist nach der (oder: durch die) Belehrung des Gurnemanz nicht der Ritter, wie er nun eben ‚ist', im Gegensatz zu dem Ritter, wie er eigentlich ‚sein soll' (Belehrung durch Trevrizent). Das Strukturgesetz der (vertikalen) Parzivalhandlung läßt uns vielmehr erkennen, daß die Lehre des Trevrizent die des Gurnemanz in sich aufnimmt, sie ‚aufhebt'. Das ist etwas ganz anderes. Der an sich in sich selbst durchaus eigenständige Bereich des Höfischen in der Artuswelt (wie ihn Hartmann im Erec und Iwein und Wolfram selbst in der Zeichnung des Artushofes im Parzival dargestellt haben) wird auf dem Wege Parzivals zum Gral zur Station umgebildet, d. h. er erhält eine Funktion im Aufbau der Person. Der ‚vertikale' Prozeß der ‚Erbauung' durchdringt die ‚horizontale' Darstellung

der höfischen Welt, in der alles geschieht. Von irgendeiner Art der Abwertung der Artuswelt oder des Höfischen kann keine Rede sein. Parzival und Gawan finden sich am Schluß brüderlich zusammen. Die exemplarische Figur Parzivals und die idealtypische Gawans agieren auf verschiedenen Ebenen; diese Ebenen durchdringen sich und erscheinen projiziert auf die *aventiure*, die die ganze Dichtung erzählerisch vereinheitlicht. Mit anderen Worten: wer den Blick nur auf die *aventiure* gerichtet hält, muß notwendigerweiser zu unrichtigen Urteilen kommen. ‚Bloße' Form ist die Lehre des Gurnemanz nur für Parzival (da er auf der Stufe des ‚Gesetzes' steht); in der Artuswelt selbst aber ist ‚Form' selbstverständlich immer ‚erfüllte' Form.[1]

2. Alle Spekulationen geistesgeschichtlicher Art, die an den Unterschied der Gotteslehre Herzeloydes zu der Trevrizents anknüpfen und darin ein dichterisches Abbild des Fortganges von ‚romanischer' zu ‚gotischer' Gottesvorstellung sehen, sind gegenstandslos. Denn Herzeloydes ‚Gottesbegriff' ist nicht ‚romanisch', weil er gar nicht ‚christlich' ist. Auch der Gral ändert sich nicht, denn auch er ist beim ersten Gralsbesuch Parzivals nicht ‚christlich', d. h. Parzival erkennt nur die Vorgänge, nicht ihre Bedeutung (Wolfram erzählt nur die Vorgänge). Gottesbegriff und Gralswesen erhellen sich für Parzival stufenweise. Das ist ein Prozeß, der dem fortschreitender Erhellung der Wahrheit im Verlaufe der Weltgeschichte entspricht. Mit geistesgeschichtlichen Umwandlungen hat er nichts zu tun. Selbstverständlich kann man Wolframs Dichtung in geistesgeschichtliche Zusammenhänge einordnen; aber das müßte auf ganz andere Weise geschehen. Wichtiger erscheint mir dennoch, zuvor die zeitgeschichtliche Lage zu erforschen.

3. Zur Frage nach dem Verhältnis Wolframs zu Chrétien glaube ich das Wichtigste genannt zu haben. Ich verweise hier noch auf die S. 7 Anm. 3 verzeichneten eigenen Arbeiten. Chrétiens Perceval erscheint gegenüber Wolframs mittelalterlichem Denken so tief verhafteter Auffassungsweise fast schon neuzeitlich – so sehr, daß die romanistische Forschung sich dagegen verwahren muß, ihn mit Maßstäben des 19. Jhs. zu beurteilen. Es ist ganz unmöglich, das zeitliche Nacheinander von Quelle und Bearbeitung und die damit gegebene Abhängigkeit Wolframs von dem Franzosen als Dokumentation des Überganges von der ‚Frühgotik' zur ‚Hochgotik' zu verstehen. Will man geistesgeschichtlich urteilen, so ist Wolframs Werk beträchtlich ‚älter' als das Chrétiens. Wüßten wir über Lebensdaten und Zeitumstände gar nichts, so würden wir meinen, Chrétien habe Wolframs altertümliche Erzählung ‚modernisiert': veranschaulicht, versinnlicht, plausibel gemacht. Der Raum der deutschen Dichtung hat seine besonderen Merkmale;

[1] Dazu Hugo Kuhn, Erec. Dichtung und Welt im Mittelalter, Stuttgart 1959, 133–150.

sein Grundzug ist konservativ. Dort, wo die *armen künige* Walthers herrschen, hat man sich aber früh aus dem Universaldenken des Mittelalters gelöst. Hinter Wolframs Werk steht das Deutsche Kaisertum mit seiner Ideologie; Chrétiens Perceval dagegen soll gar nicht Gralsherr werden. Die Vorstellung von einem in allen Zügen einheitlichen Abendland mittelalterlich-christlicher Prägung ist eine reine Fiktion, ein religions-, geistes- und literaturgeschichtliches Schema, das die Realität außer Acht läßt. Die Einheit, die es dennoch darstellt, müßte an anderer, tieferer Stelle gesucht werden.

4. Weitreichende Konsequenzen ergeben sich für die Erforschung der Erzählweise Wolframs. Das ruckartige, sprungweise Fortschreiten Parzivals von Stufe zu Stufe, dem jeweils ein breiter Bericht von der Anwendung des Gelernten folgt, steht aller Kontinuität epischer Handlung im Wege. Der Fortgang des Geschehens ist episch also eigentlich nicht darstellbar. Die entscheidenden Wendungen der Handlung sind nicht aus dem der Wendung vorausgehenden Geschehen verständlich (wie doch bei Chrétien). Die Beziehung zum Vorangegangenen ist von ganz anderer Art: das vordem Erzählte ist nicht Ursache des folgenden, sondern dessen Präfiguration. Das Erzählprinzip ist das der fortschreitenden Erhellung. Anfangs herrscht Dunkelheit: die Ereignisse in Soltane werden zwar umspielt mit Andeutungen, aber der Hörer weiß nicht, was diese bedeuten. Die späteren Lehrer enthüllen nach und nach das Verschwiegene (Sigune über Lähelin, Gurnemanz über Rittertum und Gottesdienst, Trevrizent über Christentum und Sünde). Wolfram mußte also, wenn er in solcher Weise erzählt, den Text Chrétiens (der ja doch alles für den Knaben nötige Wissen gleich am Anfang erzählt) weitgehend entrealisieren. Das hat er wirklich getan. Er hat dafür sogar ein Wort: *helen.* (453, 5). Er macht in ausdrücklichen Hinweisen auf die von Chrétien abweichende Art der Gestaltung Bemerkungen über sein eigenes Verfahren, das er dem Rate Kyots zuschreibt. Erst dann, *so des wirdet zit* (241, 5) will er den Sinn des Vorerzählten enthüllen. Die Zeit, die seiner *aventiure* zugrunde liegt, entspricht der ‚Zeit', die die Weltgeschichte bestimmt. Die epische Spannung, die der *aventiure* eigen ist, ist nicht die der Erwartung von Konsequenzen aus einem erzählten Tun, sondern die der Neugier nach dem Sinn des bisher Unverstandenen. Das Geschehen entfaltet sich nicht folgerichtig (wie bei Chrétien), sondern plangemäß. Das ist etwas völlig anderes.

5. Zu den Problemen, die innig mit der Grundstruktur zusammenhängen, gehört auch die Frage nach Parzivals Schuld. Ich will darauf ausführlicher eingehen. Die wichtigsten Arbeiten der letzten Jahre sind folgende: Friedrich Maurer in seinem Buche ‚Leid' (1950) und in einem Aufsatz DU 8, 1, 1956; Wolfgang Mohr, Parzivals ritterliche Schuld (WW 2, 1951, 52, 148ff.); Peter Wapnewski in seinem Buche Wolframs Parzival. Studien zur Religio-

sität und Form, 1955, 74ff.; F. R. Schröder, GRM IX, 1959, 1–20. Da Maurer (Leid 124ff.) und Wapnewski (75ff.) einen eingehenden Forschungsbericht bringen, kann ich hier darauf verzichten.

Maurer unterscheidet zwei verschiedene Arten von Vergehen Parzivals. Während man vordem immer nur von den drei großen Sünden sprach, die Trevrizent ihm vorhält (Tod der Mutter, Tod Ithers, Frageversäumnis), bemerkt er, daß doch auch „Gotteshaß, Aufgeben der kirchlichen Gemeinschaft und Verzicht auf die dankbare, frohgemute Haltung“ Sünden seien (Leid 135). In der Bewertung dieser beiden Dreiergruppen distanziert er sich von Schwietering, der die unwillentlichen Verfehlungen Parzivals als „Sünden von vollem Gewicht“ bezeichnet (Parzivals Schuld 20). Die eigentlich „echten und schweren Sünden“ seien vielmehr die bewußten, die willentlich getanen. Parzival begeht danach 1) unbewußte, unwillentliche Sünden, die „keinesfalls Sünden von vollem Gewicht“ sind (148); 2) bewußte, willentliche Sünden, die „schwere Sünden“ sind. – Freilich sieht Maurer eine Schwierigkeit darin, daß „die beiden Gruppen ... in ihrem Nebeneinander oder in ihrem Verhältnis nicht sehr deutlich zu erkennen“ seien (135). Es sei „besonders verwirrend, daß ... die drei echten und schweren Sünden: Gotteshaß, Aufgeben der kirchlichen Gemeinschaft und Verzicht auf die dankbare, frohgemute Haltung, wie es scheint, im Vergleich zu jenen unwillentlichen Verfehlungen zu leicht genommen werden und in die Buße am Ende des Buches, wie es scheint, nicht mehr einbezogen werden“ (ebenda). Der Text behandelt also die zweite Gruppe recht nebenher, was Maurer selbst „merkwürdig“ (123), „auffallend“ (136), „befremdend“ (137), „erstaunlich“ (138) findet. – In seinem späteren Aufsatz rückt er davon jedoch ab; darüber u. S. 99 A. 5.

Mohr geht von der Interpretation der Stellen aus, die den Mord an Ither betreffen. Er macht, wie schon erwähnt, darauf aufmerksam, daß Parzival keineswegs ‚nah‘ mit Ither verwandt sei, wie man immer wieder lesen kann, und da die beiden anderen, denen gegenüber nach den Worten Trevrizents Parzival schuldig wird, ebenfalls Verwandte sind (Herzeloyde, Anfortas), so meint er, daß Wolfram den christlichen Gedanken, alle Menschen seien Brüder, „in das epische Symbol der Verwandtschaft“ fasse. „Gerade die Entferntheit der Verwandtschaft zwischen Ither und Parzival entwirklicht sie und macht sie darum um so deutlicher zum Sinnbild der Brüderlichkeit der Menschen untereinander, die zugleich eine Brüderlichkeit in Gott ist“ (154f.). „Das epische Gewicht dieser drei Verschuldungen Parzivals gegen die Sippe ist zwar verschieden, aber in ihrem sittlichen Gewicht wiegen sie gleich schwer“ (155). „Gerade die unbeabsichtigten *broeden werke*, diejenigen Sünden, die aus ignorantia, aus *tumpheit*, aus Unreife und Verblendung begangen werden, werden dem Dichter des ‚Parzival‘ zum Problem“ (156).

Wapnewski, der Auffassung Schwieterings und Mohrs zuneigend, sondert die Sünde des Frageversäumnisses von den beiden anderen ab: „Er hat den Gral bereits verloren, bevor er ihn durch sein Schweigen verliert. Das Nichtfragen ist nur Bestätigung dafür, daß er, der als Praedestinierter zum Gral finden konnte, ihn im Stande der Sünde nicht erringen kann. So ist das Nichtfragen tatsächlich ein Symptom ... das ethisch und dichterisch durchaus kausal verknüpft ist mit Parzivals Jugend, die in diesem Augenblick endet" (95).

Diesen Versuchen ist bei aller Verschiedenheit doch gemeinsam, daß sie die notwendige Vorfrage nach dem Aspekt, unter dem man den Text betrachten müsse, nicht ausdrücklich stellen. Es nimmt daher nicht wunder, daß die Gesprächspartner immer wieder aneinander vorbeireden. Es müßte vorweg geklärt werden, ob man z. B. eine Unterscheidung von unbewußten und willentlichen Sünden machen muß, machen darf oder nicht machen darf; ob das Gewicht der Sünden zu beachten ist oder nicht. Man muß dabei natürlich vom Text ausgehen, nicht von der Theologie, die solche Unterscheidungen kennt. Mohr sagt mit Recht: „Von einer Abstufung zwischen schweren ‚bewußten' und leichteren ‚ungewollten' Sünden finde ich bei Wolfram nichts; die Parzivalinterpretation muß darauf verzichten, einerlei, was die mittelalterliche Theologie darüber gedacht hat" (156). Maurer und Wapnewski zitieren theologische Stellen in Fülle und kommen doch zu sehr verschiedenen Ergebnissen. Zu fordern wäre, daß die theologische Meinung, die man heranholt, der Äußerung des Textes adäquat wäre.

Einig ist man sich darüber, daß für alles, was die Schuld Parzivals betrifft, allein das IX. Buch herangezogen werden dürfe. – Von dort aus aber erscheint alles, was Parzival je getan hat, als Sünde. Denn er hat ein Leben ohne Gott geführt, ein Leben im Dienste seines ‚Gottes', der Luzifer ist, und damit sind selbst seine Tugenden ohne sittlichen Wert. Von der Gesetzeslehre des Gurnemanz ist er abgefallen (er hat keine Kirche mehr besucht, die Feiertage nicht geheiligt), wie die Juden vom Gesetz abfallen, da sie es nicht erfüllen können, und so ist er, wie diese, in den Naturstand zurückgefallen. Sein Bekenntnis sagt aus: peccavi.[2]

Dies peccavi bezieht sich also nicht nur auf die (doch erst später genannten) drei Sünden. Es ist andrerseits, wie wir gesehen haben, auch nicht erwachsen aus einer Einsicht, die Parzival durch das Leid, das lange Umherirren gewonnen hätte, sondern es stammt aus der Belehrung des Kahenis (448, 25f.):

welt ir im riwe künden
er scheidet iuch von sünden.

[2] Wapnewski a. a. O. 90.

Letzte Ursache ist, wie überall, Gott: er hat dem irrenden Ritter die Lehrer in den Weg gestellt: *sin wolte got do ruochen* (435, 12). Kahenis sagt ihm auch, was er ist: *ein heiden* (448, 13ff.):

> herre, pflegt ir toufes,
> so jamer iuch des koufes
> ...
> ob ir niht ein heiden sit.

Unter dieser Voraussetzung steht das ganze Gespräch mit Trevrizent, und daher ähnelt es auch den Disputen der Kaiserchronik, die ja immer Heiden und Juden zum Gegner haben, nicht abgefallene Christen. Die Meinung, Parzival habe seinen christlichen Glauben ‚vergessen', die Vorstellung von Gott habe sich ihm ‚verwirrt' und ähnlich macht immer die unrichtige Voraussetzung einer individuellen Persönlichkeit, weil es dem modernen Denken schwer wird, sich den Sachverhalt anders vorzustellen. In Wahrheit sagt der Text mit Genauigkeit aus, daß Parzival immer ein ganz vorzügliches ‚Gedächtnis' hat: noch bei Trevrizent wiederholt er über Gott genau das, was die Mutter ihm sagte (s. o. S. 36f.). Von ‚Vergessen' darf man sprechen, wenn man denjenigen Zeitbegriff ansetzt, unter dem das ganze Geschehen steht: die Heiden haben ihr ursprüngliches, aus dem Paradiese stammendes Wissen um Gott im Laufe der Zeit vergessen.[3] Parzival lebt ‚zeitlos', d. h. ohne Wissen um Gottes Ordnung, und daher ist er ein sündiger Mensch.

Wenn Trevrizent nun gegenüber einem solchen sündigen Heiden aus der Fülle der diesem vorzuhaltenden Sünden[4] nur drei nennt und auf andere nur flüchtig hinweist, so trifft er offenbar eine Auswahl, und wir haben nach dem Prinzip dieser Auswahl zu fragen.

Bei allen drei Vergehen (Tod der Mutter, Tötung Ithers, Frageversäumnis beim Gral) handelt es sich um eine Verschuldung gegenüber dem Leben eines Menschen. Tod und Todeskrankheit sind die Folge von Parzivals Verhalten. Die beiden ersten fallen in die Zeit, da Parzival noch *wilde* war, die letzte in die Zeit seines Rittertums. Das IX. Buch hebt deutlich die Tötung

[3] Dazu Th. Ohm a. a. O. 229: „Thomas hält dafür, daß sich die Offenbarung, die Adam im Paradiese empfangen, sowie der Gedanke an die Schöpfung und an den einen Gott zwar lange in der Menschheit erhalten hat, aber schließlich doch vergessen worden ist." – Mohr, WW 2, 151 meint: „Unter der Erschütterung durch falsch verstandenes Schicksal verzerrt sich ihm das Gottesbild"; er verweist zur Verdeutlichung bezeichnenderweise auf „Orest und Iphigenie bei Goethe" (Sperrung von mir). – Von ‚vergessen' in der üblichen Bedeutung des Wortes kann und muß man bei Percevals Verhalten sprechen: er hat die Lehren mißachtet, sich nicht um sie gekümmert.

[4] Mohr zählt WW 2, 148f. eine Reihe von Vergehen Parzivals auf, von denen das IX. Buch nicht spricht; dazu gehört natürlich auch die zweite Gruppe von Sünden, die Maurer hervorhebt.

Ithers hervor, und wenn Mohr meint, daß diese Tat in der Symbolik des Romans auf Kain verweist und ihre Bedeutung darin zu suchen sei, daß hier nicht einfach ein Verwandtenmord, sondern der Brudermord im christlichen Sinne geschehen sei, so hat er, wie ich meine, völlig richtig und textgemäß gesehen. Parzival erschlägt Ither wie Kain den Abel um *krankes guot*. Der Hinweis auf den ‚Adamssohn' Mazadan, über den die Verwandtschaft geht, besagt doch: durch Adam sind wir alle Brüder, und er besagt zugleich: Adams Sünde hat uns zu Mördern gemacht. Parzival erkannte im Andern nicht den ‚Menschen', er tötete ihn, wie er in Soltane Hirsche und Eber erlegte. Das tun die Heiden; sie leben ihren Trieben.

Der Tod der Mutter unterscheidet sich von der Tötung Ithers insofern, als es sich hier nicht um eine Tat Parzivals handelt, die unmittelbar gegen das Leben des Anderen gerichtet ist, sondern um die schlimme Folge einer anderen Zwecken dienenden Handlung. Aber das ist ein Unterschied, der wenig besagen will. Parzival wollte die Mutter nicht töten, – aber auch den Ither nicht, sondern er wollte sein Roß und seine Rüstung (154, 4–10). Er erschlägt ihn nur, weil ihm beides verweigert wird. In beiden Fällen wird er zum Mörder, weil ihm verweigert wird, was er begehrt: die Ausfahrt, die Ritterkleidung. Er stürmt ins Leben. Damit rückt die Mutter in die gleiche Ebene, in der Ither ist: sie ist ‚Mutter' in dem Sinne, in dem Ither ‚Bruder' ist – sie ist die Urmutter. Das Vergehen wird deutlich in seiner Beziehung zum Sündenfall. Der Tod der Mutter bedeutet für den Knaben, daß es für ihn in das Paradies keine Rückkehr gibt. Zu der einen ‚großen Sünde' gehört also notwendig die andere; sie sind heilsgeschichtlich miteinander verbunden, und daher nennt Trevrizent sie zusammen.

Von diesen beiden Sünden unterscheidet sich das Frageversäumnis vor allem dadurch, daß es reparabel ist. Alle anderen Sünden Parzivals sind, einmal getan, nicht wieder gutzumachen (sie bleiben Schuld im religiösen Sinne). Am Gral ist das anders. Hier wird ihm auch nicht, wie vordem, etwas verweigert, was er begehrt, sondern man verlangt etwas von ihm, was er (nach reiflicher Überlegung) nicht leistet. Aber dies Versäumnis kann er wirklich voll und ganz gut machen, denn die Gelegenheit zur Frage wird ihm ein zweites Mal geboten, und da fragt er. Er tilgt die Sünde. Diese Tilgung erfaßt nun aber nicht nur die Schuld des Versäumnisses, sondern zugleich alle andere Schuld, auch den Tod der Mutter und Ithers. Was immer Parzival auch an Sünden beging: durch die Buße bei Trevrizent und die gestellte Gralsfrage erhält er die Rechtfertigung.

Die Frage konnte er erst stellen, als er von Trevrizent über Gottes Heilsveranstaltungen belehrt war. Im Spiegel dieser Belehrung erscheinen die drei großen Sünden. Sie haben nichts mit irgend einem Sündenregister zu tun, sie lassen sich in keinen Lasterkatalog einordnen, denn sie sind nicht

Sünden eines individuellen Menschen. Alle Frage nach ihrem Gewicht oder nach bewußtem oder unwillentlichem Tun sind irrelevant. Sie sind einander zugeordnet nach dem gleichen Prinzip wie die drei Lehren, die Parzival empfängt. Tod der Mutter: Erbsündigkeit; Mord an Ither: Folge der Erbsünde auf der Stufe der ,Natur'; Frageversäumnis: Folge der Erbsünde auf der Stufe des ,Gesetzes'.[5]

Es bedarf einer Betrachtung des Schuldproblems von der Art, wie wir sie hier durchgeführt haben, um für die notwendige Rückfrage bei der theologischen Meinung den rechten Ansatzpunkt zu finden. Er liegt dort, wo von der Schuld der Ungetauften, der im Unwissen Befindlichen gehandelt wird. Sehr deutlich hat sich darüber Thomas von Aquin geäußert. Ich gebe dazu wieder Th. Ohm das Wort:[6]

„Man könnte unsere ganzen Ausführungen über die Folgen und Wirkungen der aktuellen, persönlichen Sünde bei den Heiden für überflüssig und hinfällig erklären, indem man einwirft: Der Heide weiß nichts von seinem Gott und Ziel, von gut und bös. Er handelt in völliger, unbesieglicher Unwissenheit. Außerdem mangelt es ihm an der vollkommenen Freiheit des Willens. Also liegt auch keine Sünde und Schuld bei den Heiden vor, zum mindesten erscheint die ewige Verdammnis als eine viel zu harte Strafe für die Sünden der Heiden. – Dem gegenüber ist daran festzuhalten, daß die Heiden gar wohl zur Unterscheidung von gut und bös imstande sind. Auch ist Gott und das Endziel den Heiden keineswegs gänzlich unbekannt. Wohl mögen einzelne Eigenschaften Gottes den Heiden verborgen sein, eine vollständige Unkenntnis Gottes aber ist nicht vorhanden. Gerade darum sind sie schuldbar geworden. Sie haben aus der erkannten Wahrheit nicht die notwendigen Schlußfolgerungen für das sittliche Leben gezogen. Sie erfaßten Gottes allüberragende Größe und erwiesen ihm doch nicht die gebührende Ehre. Obwohl sie Gott als den Geber alles Guten erkannten, statteten sie ihm nicht den schuldigen

[5] M. Wehrli, DU 6, 5, 1954, 38f.: „Auf dem Unterschied zwischen willentlichen und unwillentlichen Verfehlungen liegt kein Gewicht ... Es geht ja auch nicht um das Individuum Parzival, sondern um die Menschheit, die menschliche Seele. Auf den sündigen Zustand des unerlösten Menschen schlechthin, die Erbschuld des Menschen vor Gott, kommt es an". Hugo Kuhn, Annalen der dt. Lit. 147: die drei Sünden könnten „von der Waage des weltlichen und des geistlichen Gerichts so wenig gewogen werden wie Gregors Sünden". Vgl. auch DVjschr. 30, 1956, 190. – Maurer formuliert 1956 (DU 8, 1, 59): es sei „das tiefe Rätsel des in der Erbsünde begründeten menschlichen Versagens und der aus ihm herausführende Weg, den W. im ,P.' dichterisch gestaltet hat." Dazu auch a. a. O. 55. – Den Primat der versäumten Gralsfrage als Schuld Parzivals hat F. R. Schröder a. a. O. gefordert – mit Recht, wie ich glaube. Die Gralsfrage ist die Probe, die der Schuldige nicht besteht. Nach wie vor meine ich, daß es gar nicht darauf ankommt, ob sie ,Mitleidsfrage' oder ,Neugierfrage' sei: der Wissende ist auch der Mitleidige; das fällt völlig zusammen, da im Ma. christliche *tugent* nur der hat, der um das Heilsgeschehen weiß.

[6] A. a. O. 178ff.: § 30. Die Schuldbarkeit der Heiden. – Sperrung des Satzes von mir.

Dank ab. Die Folge dieser Schuld war ihre Unwissenheit, die so weit ging, daß sie die Kreaturen für Götter ansahen und verehrten ... – Aber, wirft man ein, das Gesagte gilt nur von jenen Heiden, die sich zuerst von Gott abgewandt haben. Ihre Nachkommen haben die Irrlehren der Vorväter gläubig übernommen, von einem wahren Gott aber nichts mehr gewußt. Mag daher immerhin der Götzendienst der ersten Heiden schuldbar sein, derjenige ihrer Nachkommen ist es nicht. Dagegen ist zu bemerken, daß keinem Heiden, auch dem letzteren nicht, Gott gänzlich unbekannt geblieben ist ... – Die Frage ist die, ob es sich hier um ein reines Nichtwissen oder um den Mangel eines erreichbaren und pflichtmäßigen Wissens handelt. In letzterem Fall ist die Unwissenheit nicht ohne Schuld. Nun verfügt aber jeder Mensch, auch der Heide, über die entsprechende Fähigkeit zum Gotterkennen, hat außerdem die schwere Pflicht, die Wahrheit und Gott zu erkennen. An jeden Menschen tritt nach Erlangung des Vernunftgebrauches die schwere Verpflichtung heran, sich nach seinem Endziel umzusehen. Kommt er dieser Verpflichtung nach, dann werden ihm die notwendigen Wahrheiten, z. B. das Dasein Gottes, nicht verborgen bleiben, kommt er ihr nicht nach, so sind ihm Unwissenheit und Irrtum zur Schuld anzurechnen und damit in etwa auch alle Sünden, die aus der Unwissenheit hervorgehen. Daher ist es unmöglich, daß ein erwachsener Heide aus dieser Welt scheidet, der nur mit der Erbsünde und läßlichen Sünde behaftet wäre. Wer als Heide in Unwissenheit stirbt, ist dieser seiner Unwissenheit wegen nicht entschuldigt".

Diesen Sätzen ist kaum noch etwas hinzuzufügen, sie treffen genau die innere Situation, in der Parzival am Anfang des IX. Buches ist. Zwar kennt auch Thomas Gründe, die eine Schuldminderung rechtfertigen (Ohm a.a.O. 180f.); die Heiden sündigen ja nicht aus Bosheit – was man daraus ersieht, daß sie sich, „sobald ihnen das Christentum ihre Pflichten klar vor Augen stellte und ihnen die nötigen Kräfte vermittelte, von ihrem sündigen Wandel abkehrten". So auch Parzival; so wie er die Wahrheit erfährt, stimmt er ihr zu, nimmt er – sagen wir besser – teil an ihr. Aber wie schwer immer auch seine Sünde zu bewerten ist: von solcher Bewertung hängt gar nichts ab.

„Gott hat die Sünden der Menschen zugelassen und so lange ertragen, damit sie von ihrer Ohnmacht überzeugt und ihrer Abhängigkeit von Gottes Hilfe inne würden ... Erbsünde und Sünde mit ihren Folgen sind geeignet, das Gefühl der Hilfsbedürftigkeit und die Sehnsucht nach Gnade und Erlösung zu wecken. Aus Hochmut war die Sünde entstanden. Von diesem mußte die Menschheit befreit werden. Darum überließ Gott die Menschen sich selbst, damit sie erführen, wie sehr sie eines Retters und Befreiers bedürften. Sie sollten ihre Krankheit erkennen, sich ihres Sündenelends und ihrer eigenen Schwäche bewußt werden, damit sie dann um so eifriger die Gnade suchten. Aus dem gleichen Grund ist der Erlöser auch nicht gleich nach dem Sündenfalle erschienen. Die Menschen sollten erst ihres Sündenelendes inne werden. Der Erfolg ist nicht ausgeblieben. Aus der Erkenntnis der eigenen Schwäche und der Notwendigkeit göttlicher Hilfe erklärt sich die Tatsache, daß die bekehrten Heiden später so fest die guten Eindrücke und Lehren festhielten“[7].

Dieser Abschnitt enthält eine alles Wesentliche erfassende Beschreibung des göttlichen ‚Lebensplanes‘ für Parzival. Der „Erlöser“ erscheint in der Gestalt Trevrizents im IX. Buche, nachdem gezeigt worden ist, daß Parzival aus eigener Kraft den Gral nicht erreichen wird. Er erkennt seine „Schwäche“ und hält danach die gute Lehre fest bis ans Ende. P a r z i v a l s S c h u l d i s t d i e g l e i c h e, d i e a u c h d i e H e i d e n t r a g e n.

Es wird nötig sein, hier noch einige Bemerkungen anzufügen, die das Beichtgespräch Trevrizents mit Parzival betreffen. Der oben dargelegte Schuldbegriff ist selbstverständlich an eine exemplarisch konzipierte Figur gebunden; er ist deswegen um nichts weniger verbindlich. Aber der exemplarische Vollzug des Lebens, über den am Ende das Urteil gesprochen wird, muß schließlich doch unter den Aspekt des Individuellen treten, da Schuld immer individuelle Schuld ist.[8] Parzival muß alles, was er je getan hat, vor Gott verantworten; das kann nur dargestellt werden, wenn der exemplarische in den individuellen Aspekt umschlägt. Dieses ‚Umschlagen‘ zeichnet sich im Text deutlich ab: das Beichtgespräch zwischen ihm und dem Einsiedel ist nicht mehr ‚Station‘, sondern gibt eine ganz reale Situation wieder (467, 19ff.). In dem intimen Beisammensein kommt schon die Atmosphäre persönlicher Begegnung auf, wie sie neuzeitlicher Dichtung selbstverständlich ist. Die Darstellung steht hier offenbar unter dem Vorbild wirklicher Beichtgespräche. Fragen werden gestellt und beantwortet, Fragen nach den ganz persönlichen Nöten des Anderen. Der Gesamtteil der Unterredung unterscheidet sich also wesentlich von dem der Belehrungen Parzivals durch die Mutter und Gurnemanz, auch von der Trevrizents selbst (über das Christentum 462, 11–467, 10); da hatte Parzival immer nur zugehört. Die Nähe und Wärme des Beichtgesprächs hat natürlich den heutigen Beurteilern stets besonders zugesagt, man hat dem Dichter dafür immer wieder hohes Lob ge-

[7] TH. OHM a. a. O. 189f. – Lit. zur Frage nach der Schuld der Heiden ebenda 178 A. 4. – Vgl. auch KÖSTER a. a. O. 112; 113f.

[8] MAX WEHRLI, AfdA. 68, 1955, 114: „Individuell verantwortet wird alles erst gleichsam hinterher, in demütiger Anerkennung des göttlichen Willens.“ W. meint, Parzivals Weg sei „nur teilweise ein individueller, ethisch-juristisch zu beurteilender Ablauf; er ist ebenso sehr die Heilsgeschichte des Menschen, der Menschheit schlechthin. Die Verfehlungen des Helden können nur teilweise persönlich verrechnet werden; je weniger roh sie sind, um so eher kann, in verschiedenartiger Brechung, der allgemein-menschliche Stand der Erbschuld durchscheinen“. – Der letzte Satz zeigt, daß die allgemein einschränkenden Bestimmungen ‚gleichsam‘ und ‚teilweise‘ eine Präzisierung erfahren, die das Verhältnis von exemplarischer und individueller Schuld nicht richtig erfassen. Die Erbschuld trägt doch jedes Individuum mit sich und muß sie daher auch verantworten. A l l e Verfehlungen des Helden müssen ‚persönlich verrechnet‘ werden, sonst wäre das keine Abrechnung.

spendet. Aber man darf nicht vergessen, daß der Stil der Darstellung hier inhaltlich gefordert ist und daher nur an dieser Stelle seinen Ort hat. Wir dürfen von einem Werk des beginnenden 13. Jahrhunderts nicht erwarten, daß es sich unseren Vorstellungen von stilistischer Einheitlichkeit fügt. Die unzulässige Übertragung auf andere Partien der Dichtung, vor allem auf die drei Lehren, hat, wie mir scheint, zu der auch heute noch nicht ganz überwundenen Vorstellung von dem ‚eigentlich unschuldigen' Parzival geführt.

Es ist christliche Lehre von Anfang an, daß des Menschen bestes Wollen sündhaft ist, da sein Wille schwach und seine Einsicht getrübt ist von Adam und Eva her. Es kommt wenig darauf an, w o r i n im Einzelnen die ‚Sünden' des individuellen Menschen bestehen; der eine hat hier, der andere dort seine besondere Schwäche. In der persönlichen Beichte wird immer von diesen Schwächen die Rede sein, das versteht sich von selbst. Voraussetzung jeder Beichte ist ein bußfertiger Wille, der auf wahrer Einsicht in Gottes Gedanken beruht. In diesem Willen und dieser Einsicht müssen persönliche Schuld und Erbschuld notwendigerweise zusammenfallen.